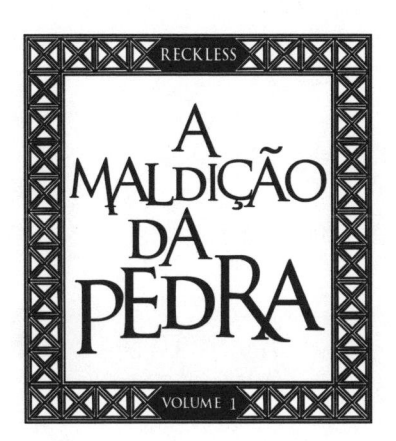

A MALDIÇÃO DA PEDRA

RECKLESS

VOLUME 1

RECKLESS

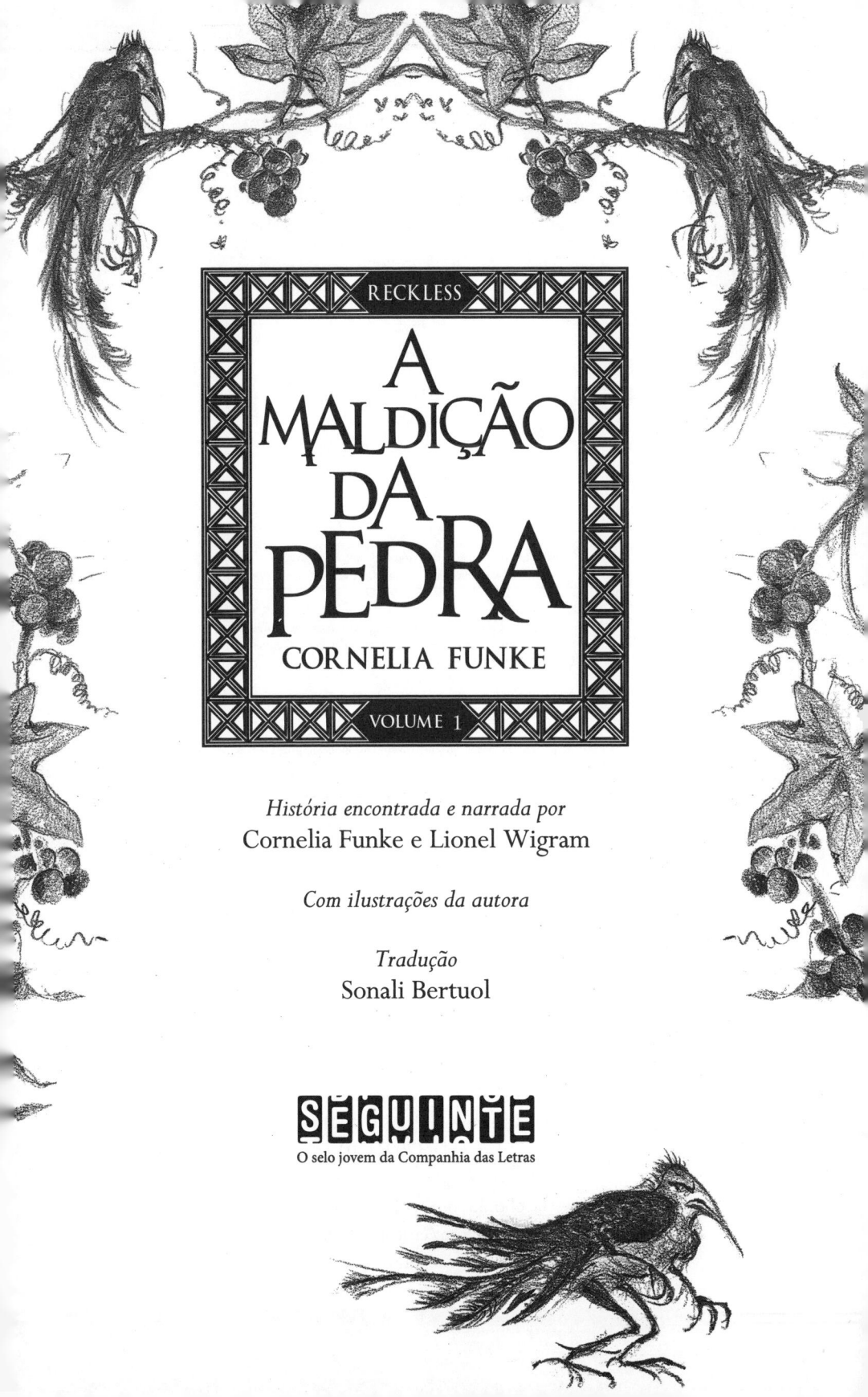

A MALDIÇÃO DA PEDRA

CORNELIA FUNKE

VOLUME 1

História encontrada e narrada por
Cornelia Funke e Lionel Wigram

Com ilustrações da autora

Tradução
Sonali Bertuol

SEGUINTE
O selo jovem da Companhia das Letras

Copyright © 2010 by Cornelia Funke e Lionel Wigram
O selo Seguinte pertence à Editora Schwarcz S.A.

Grafia atualizada segundo o Acordo Ortográfico da Língua Portuguesa de 1990, que entrou em vigor no Brasil em 2009.

Título original
Reckless — Steinernes Fleisch

Capa
Flávia Castanheira

Revisão
Jane Pessoa
Luciane Helena Gomide

Dados Internacionais de Catalogação na Publicação (CIP)
(Câmara Brasileira do Livro, SP, Brasil)

Funke, Cornelia
    Reckless — A maldição da pedra / História encontrada e narrada por Cornelia Funke e Lionel Wigram ; com ilustrações da autora ; tradução Sonali Bertuol. — São Paulo : Seguinte, 2011.

    Título original: Reckless — Steinernes Fleisch.
    ISBN 978-85-359-1981-3

    1. Ficção - Literatura juvenil I. Wigram, Lionel II. Título.

11-10255   CDD-028.5

Índice para catálogo sistemático:
1. Ficção : Literatura juvenil 028.5

1ª reimpressão

[2016]

Todos os direitos desta edição reservados à
EDITORA SCHWARCZ S.A.
Rua Bandeira Paulista, 702, cj. 32
04532-002 — São Paulo — SP
Telefone (11) 3707-3500
Fax (11) 3707-3501
www.seguinte.com.br
facebook.com/editoraseguinte
twitter.com/editoraseguinte
contato@seguinte.com.br

Para Lionel, que achou a porta para esta história e várias vezes sabia mais sobre ela do que eu, amigo e caçador de ideias, imprescindível dos dois lados do espelho

E para Oliver, que por diversas vezes fez roupas inglesas para esta história, para que o inglês e a alemã pudessem contá-la juntos

Sumário

1. Era uma vez, 9
2. Doze anos depois, 13
3. Goyls, 17
4. Do outro lado, 23
5. Schwanstein, 25
6. Um tolo apaixonado, 31
7. A casa da bruxa, 36
8. Clara, 43
9. O Alfaiate, 45
10. Pelo e pele, 50
11. Hentzau, 55
12. Os semelhantes, 58
13. A utilidade das filhas, 63
14. O castelo dos espinhos, 67
15. Carne macia, 72
16. Nunca, 76
17. Um guia até as fadas, 78
18. Vozes da pedra, 82
19. Valiant, 85
20. Demais, 91
21. Protetor do irmão, 94
22. Sonhos, 97
23. Na armadilha, 101
24. Os caçadores, 105
25. A isca, 107
26. A Fada Vermelha, 113
27. Tão longe, 119
28. Apenas uma rosa, 121
29. No coração, 124

30. Uma mortalha de corpos vermelhos, 128
31. Vidro escuro, 133
32. O rio, 136
33. Tanto sono, 143
34. Água de cotovias, 145
35. No seio da terra, 152
36. O nome errado, 159
37. As janelas da Fada Escura, 162
38. Achado e perdido, 166
39. Acordado, 171
40. A força dos anões, 174
41. Asas, 180
42. Dois caminhos, 184
43. Cão e lobo, 188
44. A imperatriz, 197
45. Velhos tempos, 201
46. A irmã escura, 205
47. Os gabinetes de curiosidades da imperatriz, 211
48. Planos para o casamento, 216
49. Um deles, 219
50. A bela e a fera, 222
51. Traga-o até mim, 229
52. E viveram felizes para sempre, 236

1
Era uma vez

A noite respirava no apartamento como um animal escuro. O tique-taque de um relógio; o ranger das tábuas do assoalho quando ele se esgueirou para fora do quarto — tudo se afogava em seu silêncio. Mas Jacob amava a noite. Ele sentia a escuridão na pele, como uma promessa. Como um manto tecido por liberdade e perigo.

Lá fora as luzes berrantes da cidade faziam as estrelas empalidecerem, e o grande apartamento estava sufocado pela tristeza de sua mãe. Ela não acordou quando ele entrou de mansinho no quarto e abriu a gaveta do criado-mudo. A chave estava ao lado dos comprimidos que a faziam dormir. Quando ele voltou para o corredor escuro, o metal amoldava-se frio à sua mão.

No quarto do irmão, como sempre, a luz ainda estava acesa — Will tinha medo do escuro —, e Jacob certificou-se de que ele dormia profundamente antes de abrir o escritório do pai. Sua mãe não entrara mais ali desde que ele desaparecera, mas não era a primeira vez que Jacob o visitava às escondidas, em busca das respostas que ela não queria lhe dar.

O escritório ainda estava como se fizesse uma hora, e não mais de um ano, que John Reckless havia se sentado na escrivaninha pela última vez. Na cadeira, continuava pendurado o casaco de tricô que ele costumava usar, e um saquinho de chá usado ressecava num pires ao lado do calendário, que mostrava as semanas de um ano já passado.

Volte!, Jacob escreveu com o dedo nas janelas embaçadas, na escrivaninha coberta de poeira e nas portas de vidro do armário no qual ainda repousavam as pistolas antigas que o pai colecionava. Mas o quarto continuou silencioso e vazio, e ele estava com onze anos e não tinha pai. Jacob chutou as gavetas que já tantas noites havia vasculhado em vão, arrancou livros e revistas das prateleiras numa fúria muda, derrubou os aeromodelos pendurados em cima da escrivaninha, cheio de vergonha pelo orgulho que sentira quando obtivera permissão para pintar um deles com laca vermelha.

Volte!, ele queria gritar pelas ruas, que sete andares abaixo recortavam trilhas de luz entre os quarteirões, e para as milhares de janelas que estampavam quadrados reluzentes na noite.

A folha de papel caiu de um livro sobre propulsores de avião, e Jacob só a apanhou porque pensou que a letra nela escrita fosse a do pai. Mas rapidamente percebeu seu engano. Símbolos e equações, o desenho de um pavão, um sol, duas luas. Nada daquilo fazia sentido. Exceto por uma frase que encontrou no verso da folha.

O ESPELHO SE ABRE PARA QUEM NÃO VÊ A SI PRÓPRIO.

Jacob se virou, e seu reflexo no espelho retribuiu seu olhar.

O espelho. Ele ainda se lembrava bem do dia em que o pai o pregara na parede. Ficava pendurado entre as estantes de livros, como um olho cintilante. Um abismo de vidro, no qual se espelhava distorcido tudo o que John Reckless deixara: a escrivaninha, as pistolas antigas, os livros — e o filho mais velho.

O vidro era tão ondulado que era difícil se reconhecer nele, e mais escuro que o de outros espelhos, mas as rosas que se enroscavam na moldura de prata pareciam tão autênticas como se fossem murchar no instante seguinte.

O ESPELHO SE ABRE PARA QUEM NÃO VÊ A SI PRÓPRIO.

Jacob fechou os olhos.

Virou de costas para o espelho.
Tateou a moldura em busca de algum trinco ou fechadura.
Nada.
Ele sempre voltava a olhar nos olhos do próprio reflexo.
Demorou um bom tempo até compreender.

Suas mãos quase não eram grandes o suficiente para cobrir a imagem distorcida de seu rosto, mas o vidro se amoldou a seus dedos como se estivesse esperando por eles, e de repente o lugar que ele via atrás de si no espelho não era mais o escritório do pai.

Jacob se virou.

A luz da lua entrava por duas janelas estreitas e iluminava paredes cinzentas, e seus pés descalços pisavam em tábuas de madeira cobertas de cascas de carvalho e ossos roídos de pássaros. O lugar não era muito maior do que o escritório do pai, e acima dele teias de aranha pendiam como véus das vigas de um telhado.

Onde estava? O luar pintou manchas em sua pele quando ele se aproximou de uma das janelas. No peitoril áspero, estavam grudadas penas de pássaro ensanguentadas, e profundamente abaixo ele viu muros queimados e colinas negras nas quais ardiam algumas luzes perdidas. Ele estava numa torre. O mar de edifícios e as ruas iluminadas haviam desaparecido. Tudo o que ele conhecia não estava mais lá, e entre as estrelas pairavam duas luas, das quais a menor era vermelha como uma moeda enferrujada.

Jacob olhou para o espelho e viu o medo em seu próprio rosto. Mas o medo era uma sensação da qual sempre gostara. Ele o atraía para lugares obscuros, através de portas proibidas e para longe de si mesmo. Até mesmo as saudades do pai se afogavam nele.

Não havia porta nas paredes cinzentas, apenas um alçapão no piso. Quando o abriu, Jacob viu os restos de uma escada incendiada que desaparecia na escuridão e, por um instante, pensou ver um homenzinho minúsculo escalando as pedras lá embaixo. Mas um ruído de algo raspando o fez se virar.

Teias de aranha caíram sobre ele, e alguma coisa pulou em sua nuca com um rugido rouco. Soou como um animal, porém o rosto desfigurado que arreganhava os dentes em seu pescoço era pálido e enrugado como o de um velho. Ele era muito menor do que Jacob e esguio como um gafanhoto. Usava uma roupa que parecia feita de teias de aranha e tinha longos cabelos grisalhos que iam até o quadril; quando Jacob segurou o pescoço magro, os dentes amarelados enterraram-se fundo em sua mão. Com um grito, ele arrancou o agressor do ombro e precipitou-se em direção ao espelho. Enquanto lambia o sangue do menino dos lábios, o homem-aranha se pôs em pé e se lançou ao ataque novamente; antes que pudesse alcançá-lo, porém, Jacob já pressionava a mão que não estava ferida sobre o próprio rosto amedrontado. A figura esquálida desapareceu, assim como as paredes cinzentas, e ele viu a escrivaninha do pai atrás de si.

— Jacob?

A voz do irmão quase sumia em meio às batidas de seu coração. Jacob tomou fôlego e afastou-se do espelho.

— Jake, você está aí?

Ele puxou a manga sobre a mão ferida e abriu a porta.

Os olhos de Will estavam arregalados de medo. Ele tivera um sonho ruim novamente. Irmão mais novo, Will o seguia como um cãozinho, e Jacob o protegia na hora do recreio e no parque. E algumas vezes até mesmo o perdoava pela mãe amá-lo mais.

— A mamãe disse para a gente não entrar no escritório.

— E desde quando eu faço o que a mamãe diz? Se contar para ela, nunca mais levo você ao parque.

Jacob pensou sentir o vidro do espelho como gelo em sua nuca. Will tentou olhar atrás dele, mas baixou a cabeça quando ele fechou a porta. Will era cauteloso onde ele era imprudente, doce onde ele era irritadiço, calmo onde ele era inquieto. Quando Jacob estendeu a mão, notou o sangue nos dedos do irmão e olhou para ele com um ar indagador, mas Jacob ficou calado e arrastou-o de volta para o quarto.

O que o espelho lhe mostrara pertencia a ele. Somente a ele.

2
Doze anos depois

O sol já se punha atrás dos muros da ruína, mas Will ainda dormia, exausto por causa das dores que havia dias o atormentavam.

Um erro, Jacob, depois de tantos anos de cautela. Ele se ergueu e cobriu Will com o sobretudo.

Tantos anos nos quais ele chamara de seu um mundo inteiro. Tantos anos nos quais o estranho mundo se tornara um lar. Fim. Com quinze anos, já dava escapadas de semanas atrás do espelho. Com dezesseis, nem mais contava os meses, e assim mesmo mantivera segredo. Até que uma vez ele se apressara demais. *Pare com isso, Jacob. Não dá mais para voltar atrás.*

Os arranhões no pescoço do irmão haviam cicatrizado bem, mas no antebraço esquerdo a pedra já começava a aparecer. Os veios verde-pálidos desciam até a mão e brilhavam na pele de Will como mármore polido.

Somente um erro.

Jacob encostou-se numa das colunas cobertas de fuligem e olhou para a torre onde ficava o espelho. Ele nunca atravessava sem antes se certificar de que Will e a mãe estivessem dormindo, nunca. Mas, desde a morte dela, havia apenas um quarto vazio a mais do outro lado, e ele mal podia esperar para pressionar novamente as mãos sobre o vidro escuro e partir para longe. Bem longe.

Impaciência, Jacob. É assim que se chama. Uma das suas características mais marcantes.

Ele ainda via o rosto de Will surgir atrás dele no espelho, distorcido pelo vidro escuro. "Aonde você vai, Jacob?". Um voo noturno para Boston, uma viagem para a Europa, haviam sido muitas as desculpas ao longo dos anos. Jacob era um mentiroso criativo, assim como fora o pai. Dessa vez, porém, sua mão já pressionava o vidro frio — e Will, é claro, o imitara.

Irmão mais novo.

— Ele já está cheirando como eles.

Fux desprendeu-se da sombra que os muros destruídos projetavam. Seu pelo era tão vermelho que parecia pintado pelo outono, e na pata traseira ainda se viam as cicatrizes deixadas pela armadilha. Fazia cinco anos que Jacob a libertara, e desde então a raposa não saíra mais do seu lado. Ela vigiava seu sono, advertia-o de perigos que seus toscos sentidos humanos não percebiam e dava conselhos que era melhor seguir.

Um erro.

Jacob passou pela arcada em cujas dobradiças tortas ainda estavam pendurados os restos carbonizados do portal do palácio. Na escada diante dele, um gnomo catava bolotas de carvalho nos degraus quebrados. Ele escapuliu depressa, quando a sombra de Jacob incidiu sobre ele. Narizes afilados e olhos vermelhos, calças e camisas feitas de roupas humanas roubadas — a ruína fervilhava deles.

— Mande-o de volta! Foi para isso que viemos até aqui, não foi? — Não dava para ignorar a impaciência na voz de Fux.

Jacob balançou a cabeça.

— Eu não devia tê-lo trazido para cá. Do outro lado, não há nada que possa ajudá-lo.

Jacob havia contado a Fux sobre o mundo do qual viera, mas na verdade ela não queria ouvir. O que ela sabia lhe bastava: que era o lugar onde ele desaparecia com muita frequência e do qual quase sempre voltava com lembranças que o seguiam como sombras durante semanas.

"Ah, é? O que você acha que vai acontecer com ele aqui?" Fux não pronunciou as palavras, mas Jacob sabia o que ela estava pensando. Naquele mundo, os pais matavam os filhos assim que descobriam a pedra em sua pele.

Ele olhou para os telhados vermelhos que se dissolviam no crepúsculo ao pé da colina do palácio. As primeiras luzes se acendiam em Schwanstein, a cidade da Pedra do Cisne. De longe, ela parecia uma gravura antiga, como as que eram estampadas em latas de biscoitos, mas já fazia anos que os trilhos da ferrovia atravessavam as colinas atrás dela e as chaminés das fábricas lançavam sua fumaça cinzenta no céu avermelhado. O mundo atrás do espelho queria crescer. Mas a carne de pedra que crescia em seu irmão não fora semeada por teares mecânicos, ferrovias ou outras invenções modernas, mas pela antiga magia que habitava suas colinas e florestas.

Um corvo-dourado pousou ao lado de Will. Jacob o espantou dali antes que ele grasnasse uma de suas tenebrosas maldições em cima de seu irmão.

Will gemeu no sono. A pele humana não cedia lugar à pedra sem relutância, e Jacob sentia a dor como se fosse sua. Era somente por amor ao irmão que ele sempre voltava ao outro mundo, embora suas visitas ficassem mais raras a cada ano. A mãe chorava e ameaçava mandá-lo para o orfanato, sem fazer ideia de onde ele se escondia, mas Will punha o braço em volta de seu pescoço e perguntava o que ele lhe trouxera. Sapatinhos de gnomo, o gorro de um polegar, um botão de vidro élfico, um pedaço da pele escamosa de um tritão — Will escondia os presentes debaixo da cama e acreditava sem pestanejar que as histórias que o irmão lhe contava sobre aqueles objetos eram contos de fadas inventados especialmente para ele.

Agora ele sabia que eram todas verdadeiras.

Jacob cobriu o braço deformado com o sobretudo. No céu, as duas luas já haviam nascido.

— Tome conta dele, Fux. — Ele se levantou. — Volto logo.

— Aonde você vai? Jacob! — Com um salto, a raposa se pôs em seu caminho. — Ninguém mais pode ajudá-lo!

— Vamos ver. — Ele a empurrou para o lado. — Não deixe Will subir na torre.

Ela o seguiu com os olhos quando ele desceu a escada. As únicas marcas de botas nos degraus cobertos de musgo eram as dele. Nenhum humano subia até ali. A ruína era tida como amaldiçoada, e Jacob já ouvira dezenas de histórias sobre sua destruição. Mas, mesmo depois de tantos anos, ele ainda não sabia quem deixara o espelho na torre. Assim como jamais descobrira o paradeiro do pai.

Um polegar pulou em seu colarinho. Jacob conseguiu pegá-lo um instante antes de ele arrancar o medalhão de seu pescoço. Em qualquer outro dia, ele teria ido imediatamente atrás do ladrãozinho. Os polegares armazenavam tesouros consideráveis nas árvores ocas em que viviam. Mas ele já havia perdido muito tempo.

Um erro, Jacob.

Ele iria repará-lo. Mas as palavras de Fux o acompanhavam enquanto ele descia a encosta íngreme.

Ninguém mais pode ajudá-lo.

Se ela estivesse certa, logo ele não teria um irmão mais novo. Nem naquele nem no outro mundo.

Um erro.

3
Goyls

O campo pelo qual Hentzau cavalgava com seus soldados ainda cheirava a sangue. A chuva enchera as covas com água enlameada, e, atrás dos muros que os dois lados haviam erguido como proteção, o chão estava coberto de elmos perfurados e espingardas sem dono. Kami'en mandara incinerar os cadáveres dos cavalos e dos homens antes que começassem a apodrecer; os goyls mortos, porém, jaziam onde haviam tombado. Em poucos dias, não se diferenciariam mais das pedras que despontavam da terra pisoteada, e, conforme era costume entre eles, a cabeça dos que lutaram na linha de frente haviam sido enviadas para a fortaleza principal.

Mais uma batalha. Hentzau já estava farto, mas tinha esperanças de que tivesse sido a última por um tempo. Finalmente a imperatriz estava disposta a negociar, e o próprio Kami'en queria a paz. Hentzau cobriu o rosto com a mão quando o vento trouxe as cinzas da colina onde os cadáveres haviam sido cremados. Seis anos sobre a terra, seis anos sem a rocha protetora entre ele e o sol. Seus olhos doíam com tanta claridade, e o ar ficava mais frio a cada dia, deixando sua pele quebradiça como o calcário. A pele de Hentzau era como o jaspe marrom. Não era a cor mais apreciada para um goyl. Ele era o primeiro goyl de jaspe que galgara um alto grau na hierarquia militar, mas também os goyls nunca haviam tido um rei antes de Kami'en. Hentzau gostava de sua pele. Jaspe era uma cor muito melhor para a camuflagem do que o ônix ou a pedra da lua.

Kami'en montara seu quartel não muito longe do campo de batalha, no palácio de caça de um general do Império que, como a maioria de seus oficiais, morrera em combate. Os guardas diante do portão destruído bateram continência quando Hentzau se aproximou. O capacho do rei, era como o chamavam, sua sombra de jaspe. Ele servia a Kami'en desde que juntos derrotaram os outros chefes. Precisaram de dois anos para matar todos eles; depois disso, os goyls tiveram seu primeiro rei.

O caminho que subia do portão até o palácio era ladeado por estátuas brancas de mármore, e, quando passou por elas, Hentzau se divertiu, não pela primeira vez, com a ideia de que os humanos perpetuavam seus deuses e heróis através de figuras de pedra, mas odiavam os goyls por causa de sua pele. Mesmo os peles-macias tinham de admitir. Pedra era a única coisa que permanecia.

As janelas do palácio estavam emparedadas, como em todas as edificações que os goyls ocupavam, mas foi somente na escada que descia para a despensa subterrânea que Hentzau finalmente se viu envolvido pela agradável escuridão encontrada sob a terra. Apenas alguns lampiões a gás iluminavam as abóbadas que agora, em vez de víveres e troféus de caça empoeirados, abrigavam o estado-maior do rei dos goyls.

Kami'en. Em sua língua, o nome não significava outra coisa senão pedra. Seu pai havia comandado uma das cidades mais profundas, mas entre os goyls os pais não tinham grande importância. As mães os criavam, e, aos nove anos, um goyl era adulto e tinha de ganhar a própria vida. A maioria então se punha a explorar o mundo subterrâneo, em busca de cavernas ainda não descobertas, até o ponto em que o calor se tornava insuportável até mesmo para a pele de pedra. Kami'en, contudo, sempre se interessara somente pelo mundo superior. Durante muito tempo, vivera numa das cidades-cavernas que os goyls haviam construído na superfície porque as cidades subterrâneas estavam cheias demais, e ali sobrevivera a dois ataques de humanos. Depois disso, começara a estudar suas armas e técnicas de guerra e se infiltrara em suas cidades e acampamentos militares. Com dezenove anos, conquistara sua primeira cidade.

Quando os guarda-costas indicaram a Hentzau que entrasse, Kami'en estava diante do mapa que mostrava suas conquistas e a posição de seus inimigos. Ele mandara confeccionar as figuras que representavam suas tropas depois que vencera a primeira batalha. Soldados, canhoneiros, atiradores de elite, figuras montadas para a cavalaria. Os goyls eram de cornalina; os imperiais, de prata; a Lorena usava ouro; os exércitos no leste, cobre; e as tropas de Álbion marchavam em marfim. Kami'en olhava as figuras como se procurasse um meio de derrotar todos de uma vez. Ele usava preto, como sempre que tirava o uniforme, e agora mais do que nunca sua pele vermelha parecia feita de fogo. Nunca antes cornalina havia sido a cor de um chefe. Entre os goyls, a cor dos príncipes era ônix.

A amante de Kami'en, como sempre, usava verde, camadas de veludo cor de esmeralda, que a envolviam como as pétalas de uma flor. Mesmo a mais bela mulher goyl empalidecia ao lado dela como cascalho ao lado de pedra da lua polida, mas Hentzau vivia proibindo seus soldados de olhar para ela. Não era à toa que existiam tantas histórias sobre fadas que, com um só olhar, transformavam homens em pés de cardo ou em peixes que ficavam estrebuchando indefesos. Sua beleza era veneno de aranha. A água engendrara a ela e a suas irmãs, e Hentzau a temia tanto quanto aos mares que corroíam as pedras do mundo.

Quando ele entrou, a fada apenas lhe lançou um breve olhar. A Fada Escura. Suas próprias irmãs a haviam renegado. Dizia-se que ela era capaz de ler pensamentos, mas Hentzau não acreditava nisso. Ela já o teria matado por tudo o que ele pensava dela.

Ele virou de costas para ela e curvou a cabeça diante do rei.

— Mandastes me chamar.

Kami'en pegou uma das figuras de prata e a sopesou.

— Preciso que encontre alguém para mim. Um homem no qual cresce a carne de pedra.

Hentzau lançou um rápido olhar para a fada.

— Onde devo procurá-lo? — perguntou. — Já existem milhares deles.

Goyl-homens. Antigamente, Hentzau usava as garras para matar, mas a magia da fada as fizera semear carne de pedra. Como todas as suas irmãs, a Fada Escura não podia gerar filhos, assim ela dava filhos a Kami'en fazendo todos os golpes das garras de seus soldados transformarem os inimigos humanos em goyls. Ninguém era mais implacável que um goyl-homem contra seus antigos semelhantes, mas Hentzau os odiava tanto quanto à fada cuja magia os criara.

Hentzau percebeu um sorriso furtivo na boca de Kami'en. Não. A fada não podia ler seus pensamentos, mas seu rei sim.

— Não se preocupe. Aquele que deve trazer até mim é fácil de diferenciar dos outros. — Kami'en pôs de volta no mapa a figura de prata. — A carne que cresce nele é de jade.

Os guardas trocaram um rápido olhar; Hentzau apenas torceu os lábios, incrédulo. Os homens-lava, que ferviam o sangue da terra, o pássaro sem olhos, que a tudo via, e o goyl de pele de jade, que tornava invencível o rei ao qual servisse... Histórias contadas às crianças para encher com imagens a escuridão sob a terra.

— Qual foi o informante que vos contou isso? — Hentzau passou a mão na pele dolorida. Logo estaria tão frio que ela teria mais rachaduras do que vidro quebrado. — Mandai fuzilá-lo. O goyl de jade é uma lenda. Desde quando a confundis com a realidade?

Os guardas baixaram a cabeça, nervosos. Tais palavras teriam custado a vida a qualquer outro goyl, mas Kami'en apenas deu de ombros.

— Encontre-o — ele disse. — Ela sonhou com ele.

Ela. A fada acariciou o veludo do vestido. Seis dedos em cada mão. Cada um para uma magia diferente. Hentzau sentiu a ira crescer dentro de si. A ira que morava em toda carne de pedra, como o calor no seio da terra. Ele morreria por seu rei se fosse necessário, mas sair em busca das invencionices de sua amante era completamente diferente.

— Não precisais de um goyl de jade para ser invencível, Majestade!

Kami'en fitou-o como a um estranho.

Majestade. Era cada vez mais frequente Hentzau se apanhar com vergonha de chamá-lo pelo nome.

— Encontre-o — repetiu Kami'en. — Ela está dizendo que é importante, e até agora sempre acertou.

A fada se aproximou, e Hentzau imaginou-se apertando seu pescoço pálido. Nem mesmo isso o consolou. Ela era imortal, e em algum momento assistiria à sua morte. À sua e à de Kami'en. E à de seus filhos e à dos filhos de seus filhos. Todos eram um brinquedo para ela, brinquedinhos de pedra, mortais. Mas o rei a amava, mais do que as duas mulheres goyls que haviam lhe dado três filhas e um filho.

"Porque ela o enfeitiçou", sussurrou uma voz dentro de Hentzau. Mas ele baixou a cabeça e pôs o punho fechado sobre o coração.

— Sempre às vossas ordens.

— Eu o vi na Floresta Negra. — Até mesmo a voz da fada soava como água.

— São sessenta milhas quadradas!

A fada sorriu, e Hentzau sentiu o ódio e o medo sufocarem seu peito.

Sem uma palavra, ela soltou os cabelos, que prendera com presilhas enfeitadas com pérolas como uma mulher humana, e mexeu neles com a mão. Mariposas pretas com manchas claras que pareciam caveiras nas asas saíram voando de seus dedos. Quando o enxame voou na direção dos guardas, eles abriram depressa as portas, e os soldados de Hentzau que esperavam lá fora no corredor escuro também recuaram quando as mariposas passaram por eles. Todos sabiam que os ferrões penetravam a pele dos goyls.

A fada, porém, pôs as presilhas de volta nos cabelos.

— Quando o encontrarem — ela disse sem olhar para Hentzau —, elas irão até você. E você o trará até mim imediatamente.

Os homens de Hentzau olhavam para ela através da porta aberta, mas baixaram depressa a cabeça quando ele se virou.

Fada.

Maldita fosse ela e a noite em que surgira de modo repentino entre as tendas. A terceira batalha, a terceira vitória. E ela andara em direção à tenda do rei como se tivesse sido gerada pelos gemidos dos feridos e pela lua branca que pairava sobre os mortos. Hentzau se pusera em seu caminho, mas ela simplesmente o atravessara, como a água à pedra porosa — como se também ele já pertencesse aos mortos —, e roubara o coração do rei dos goyls para preencher com ele seu peito vazio.

O próprio Hentzau tinha de admitir que mesmo as melhores armas não espalhavam a metade do terror de seu feitiço, que transformava em pedra a carne macia dos inimigos. Mas ele estava convencido de que os goyls teriam ganhado a guerra também sem ela, e a vitória teria tido um gosto muito melhor.

— Encontrarei o goyl de jade mesmo sem as vossas mariposas — ele disse. — Caso ele realmente seja mais do que um sonho.

Ela respondeu apenas com um sorriso. Ela o acompanhou até lá em cima, à luz do dia, que turvava sua visão e rachava sua pele.

Maldita fosse.

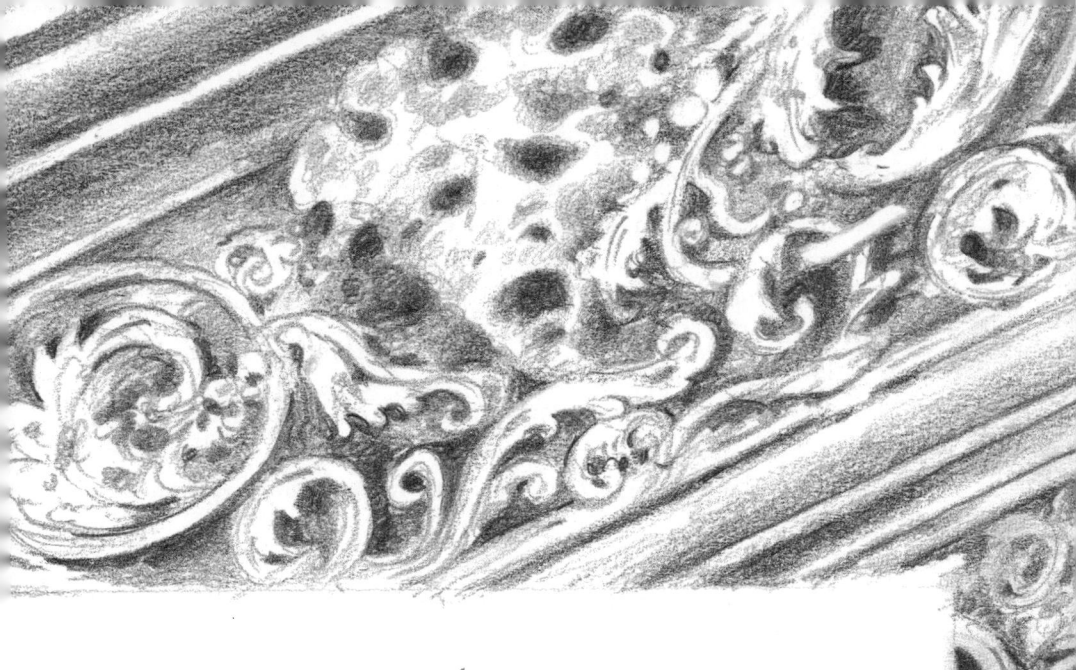

4
Do outro lado

A voz de Will soara muito diferente. Clara quase não a reconhecera. Primeiro, todas aquelas semanas sem nenhum sinal de vida dele, e agora aquele estranho ao telefone que não dizia realmente por que estava ligando.

As ruas pareciam ainda mais cheias que de costume e o caminho interminavelmente longo, até que por fim ela chegou ao velho edifício no qual Will e o irmão haviam crescido. Da fachada cinzenta, rostos de pedra miravam a rua, os traços corroídos pela poluição. Clara olhou para eles involuntariamente quando o porteiro segurou a porta. Ela ainda estava com o avental verde-claro do hospital debaixo do sobretudo. Não tinha parado para se trocar, apenas saíra correndo.

Will.

Ele soara tão perdido. Como alguém que estava se afogando. Ou se despedindo.

Clara fechou a grade do velho elevador. Ela também usava avental quando encontrara Will pela primeira vez, em frente do quarto onde a mãe dele estava internada. Era frequente Clara trabalhar no hospital nos fins de semana, não só porque precisava de dinheiro. Livros técnicos e a universidade muitas vezes faziam esquecer que carne e sangue eram coisas muito reais.

Sétimo andar.

A placa de cobre ao lado da porta estava tão oxidada que, sem pensar, Clara esfregou a manga nela.

RECKLESS. Um nome que remetia à aventura. Will muitas vezes achava graça no quão pouco combinava com ele.

Atrás da porta do apartamento, a correspondência sem abrir amontoava-se, mas a luz do corredor estava acesa.

— Will?

Ela abriu a porta do quarto.

Nada.

Na cozinha ele também não estava.

O apartamento dava a impressão de que fazia semanas que ninguém aparecia ali. Mas Will havia dito que ligara de lá. Onde ele estava?

Clara passou pelos quartos vazios da mãe e do irmão de Will, que ela nunca chegara a ver. "Jacob está viajando." Jacob estava sempre viajando. Às vezes ela não tinha muita certeza de que ele realmente existia.

Ela parou.

A porta do escritório do pai de Will estava aberta. Ele nunca entrava ali. Ignorava tudo que tivesse a ver com o pai.

Clara entrou hesitante. Estantes de livros, um armário com portas de vidro, uma escrivaninha. Os aeromodelos pendurados em cima dela tinham uma camada de poeira, como neve suja sobre as asas. Todo o escritório estava empoeirado, e tão frio que ela via sua própria respiração.

Entre as estantes, havia um espelho pendurado.

Clara andou até ele e passou a mão nas rosas de prata que cobriam a moldura. Ela nunca tinha visto algo tão bonito. O vidro que elas envolviam era escuro como se a noite tivesse escorrido ali. Estava embaçado, e, no ponto em que o rosto de Clara se espelhava, havia a marca de uma mão.

5
Schwanstein

A luz dos lampiões enchia as ruas de Schwanstein como leite derramado. Iluminação a gás e carruagens com rodas de madeira circulando no acidentado calçamento de pedras, mulheres em saias longas, as barras molhadas de chuva. O ar úmido do outono cheirava a fumaça, e as cinzas de carvão pretejavam as roupas penduradas entre as fachadas pontiagudas. Agora havia uma estação ferroviária, bem em frente à estação das diligências, e um telégrafo. Um fotógrafo capturava chapéus armados e saias franzidas em placas de prata, e bicicletas se apoiavam em paredes nas quais cartazes advertiam contra tritões e corvos-dourados. Em nenhuma outra parte o Mundo do Espelho imitava tão fervorosamente o outro lado como em Schwanstein, e Jacob, claro, já se perguntara muitas vezes quantos entre os vários objetos pendurados no escritório do pai haviam chegado através do espelho. No museu da cidade, havia alguns instrumentos que se assemelhavam de maneira suspeitosa aos do outro mundo. Uma bússola e uma câmera fotográfica pareceram tão familiares a Jacob que ele as tomou por pertences do pai, mas ninguém soube lhe dizer para onde fora o estranho que as deixara ali.

Os sinos da cidade anunciavam a noite quando Jacob desceu a rua que ia dar na praça do mercado. Em frente a uma padaria, uma anã vendia castanhas tostadas. O aroma doce misturava-se ao cheiro da bosta de cavalo que se espalhava por todo o calçamento. A ideia do automóvel ainda não atravessara o espelho, e o monumento da praça do mercado representava, montado em seu cavalo, um príncipe que havia matado gigantes nas colinas da região. Era um antepassado da atual imperatriz, Teresa da Austrásia, cuja família fora bem-sucedida em caçar não só gigantes como também dragões, que havia muito tempo eram considerados extintos em seus domínios. O pequeno jornaleiro que apregoava as últimas notícias ao lado do monumento com certeza nunca vira mais do que a pegada de um gigante ou as marcas do fogo de um dragão nos muros da cidade.

Batalha decisiva, muitas baixas... General morto... Negociações secretas com os goyls...

A guerra reinava no Mundo do Espelho, e os humanos não estavam vencendo. Fazia quatro dias que Will e ele haviam topado com uma tropa dos invasores, mas Jacob ainda os via sair da floresta: três soldados e um oficial, os rostos de pedra úmidos de chuva. Olhos de ouro e garras negras, que rasgaram o pescoço de seu irmão... Goyls.

"Tome conta do seu irmão, Jacob."

Ele pegou um jornal e pôs três vinténs de cobre na mão suja do garoto. O gnomo sentado em seu ombro olhou para as moedas cheio de desconfiança. Muitos gnomos uniam-se aos homens e permitiam que eles os alimentassem e vestissem, o que, contudo, nada alterava em seu permanente mau humor.

— Onde estão os goyls? — perguntou Jacob.

— A menos de cinco milhas daqui. — O garoto apontou para o sudeste. — Quando o vento estava a favor, dava para ouvir os tiros. Mas desde ontem está tudo quieto. — Ele pareceu quase decepcionado. Em sua idade, até mesmo a guerra soava como uma aventura.

Os soldados imperiais que saíam da estalagem ao lado da igreja deviam estar mais bem informados. AO OGRO VORAZ. Jacob fora testemunha do acontecimento que dera nome à estalagem e custara o braço direito ao seu proprietário.

Albert Chanute estava atrás do balcão com cara de poucos amigos quando Jacob entrou na escura taverna. Chanute era um sujeito tão corpulento que havia quem afirmasse que ele tinha sangue de troll nas veias — o que não era exatamente um elogio no Mundo do Espelho. Até o ogro abocanhar seu braço, tinha sido o melhor caçador de tesouros de toda a Austrásia, e durante muitos anos Jacob fora seu aprendiz. Chanute mostrara a ele o que podia trazer fama e riqueza atrás do espelho, e Jacob impedira que o ogro lhe decepasse também a cabeça.

As paredes da taverna estavam cobertas de lembranças de dias mais gloriosos: a cabeça de um lobo-pardo; a porta do forno de uma casa de doces; um porrete-pule-do-saco, que saltava da parede quando um freguês não se comportava bem; a pele escamosa de um tritão; e, sobre o balcão, pendurado pela corrente com a qual ele prendera sua vítima, um braço do ogro que pusera fim aos dias de caçador de tesouros de Chanute. A pele azulada ainda brilhava como couro de lagarto.

— Ora, vejam só! Jacob Reckless. — A boca ranzinza de Chanute se esticou num sorriso sincero. — Pensei que você estava na Lorena procurando a ampulheta.

Ele fora uma lenda viva como caçador de tesouros, mas nesse campo Jacob já adquirira uma fama pelo menos tão boa quanto a dele, e os três homens sentados numa das mesas manchadas ergueram a cabeça, curiosos.

— Despiste a freguesia! — Jacob sussurrou para Chanute por cima do balcão. — Preciso falar com você.

Então subiu até o quarto que havia anos era o único lugar naquele e no outro mundo onde se sentia em casa.

Uma mesinha ponha-se, que se enchia de comida quando seu dono assim ordenava, um sapatinho de cristal, a bola de ouro de uma princesa — Jacob já encontrara muitos objetos naquele mundo e os vendera por muito dinheiro a príncipes e ricos mercadores. Na arca que ficava atrás da porta do singelo aposento, porém, ele guardava os tesouros que reservara para si. Esses objetos haviam sido suas ferramentas de trabalho e sua salvação em muitos apuros, mas Jacob jamais acreditaria que um dia o ajudariam a salvar o próprio irmão.

O lenço que tirou da arca em primeiro lugar era de um linho ordinário, mas, quando alguém o esfregava entre os dedos, produzia de um a dois táleres de ouro, sem nunca falhar. Jacob o adquirira anos antes, de uma bruxa, em troca de um beijo que ficara ardendo em seus lábios por semanas. Os outros objetos que ele acomodou na mochila também eram discretos: uma latinha de rapé prateada, uma chave de latão, um prato de zinco e um frasco de vidro verde. Mas cada um deles já salvara sua vida pelo menos uma vez.

Quando Jacob desceu de novo as escadas, a taverna estava vazia, e Chanute, sentado a uma mesa, estendeu-lhe um copo de vinho assim que ele se sentou também.

— E então? Qual foi a enrascada em que você se meteu dessa vez?

Chanute lançou um olhar cobiçoso para o vinho; ele tinha apenas um copo de água a sua frente. Antigamente, ficava bêbado com tanta frequência que Jacob tinha de esconder as garrafas, embora, a cada vez, Chanute batesse nele por causa disso. O velho caçador de tesouros costumava espancá-lo — inclusive quando estava sóbrio —, até que um dia Jacob o ameaçou com sua própria pistola. Chanute também havia bebido quando entrou na caverna do ogro. Provavelmente não teria perdido o braço se conseguisse enxergar um palmo à sua frente; depois disso, largara a bebida. O caçador de tesouros fora um pai substituto deplorável, e Jacob estava sempre com um pé atrás em relação a ele, mas se existia alguém que sabia o que poderia salvar Will era Albert Chanute.

— O que você faria se precisasse expulsar a carne de pedra de um amigo seu?

Chanute engasgou com a água e examinou-o de cima a baixo, como se quisesse ter certeza de que ele não falava de si próprio.

— Não tenho amigos — ele grunhiu. — E você também não. É preciso confiar neles, e nisso nós dois não somos bons. Quem é?

Mas Jacob apenas sacudiu a cabeça.

— Ah, é verdade! Jacob Reckless gosta de fazer mistério! Como pude esquecer? — Sua voz soou amargurada. Apesar de tudo, Chanute o considerava o filho que nunca tivera. — Quando eles pegaram esse amigo?

— Há quatro dias.

Os goyls haviam atacado perto de uma aldeia na qual Jacob estava à procura da ampulheta. Ele subestimara o quanto as tropas do inimigo já avançavam em território imperial, e Will tivera tantas dores que eles precisaram de vários dias para retornar. Retornar para onde? Não havia mais retorno, mas Jacob não tivera coragem de dizer isso ao irmão.

Chanute passou os dedos nos eriçados cabelos grisalhos.

— Quatro dias? Esqueça. Ele já é metade goyl. Você lembra quando a imperatriz colecionava goyls de todas as cores e aquele camponês quis empurrar para a gente, como ônix, um morto de pele de pedra da lua que ele tinha pintado com fuligem?

Sim, Jacob se lembrava. Os caras de pedra. Naquela época ainda eram chamados assim, e se contavam histórias sobre eles às crianças, para infundir nelas o medo da noite. Enquanto Jacob perambulava pelo mundo com Chanute, eles estavam começando a habitar cavernas também na superfície, e não houve aldeia que não tivesse se posto a caçá-los. Mas agora eles tinham um rei, e ele fizera da caça o caçador.

Ao lado da porta dos fundos, ouviu-se um farfalhar, e Chanute pegou sua faca. Ele a lançou tão rapidamente que pregou o rato na parede em pleno pulo.

— Este mundo está acabando — resmungou e arrastou a cadeira para trás. — Os ratos estão ficando grandes como cães. Com todas essas fábricas, as ruas fedem feito uma caverna de troll, e os goyls estão a apenas algumas milhas daqui.

Ele pegou o rato morto e jogou-o em cima da mesa.

— Não há nada que ajude contra a carne de pedra. Mas se ela tivesse me pegado, montaria no meu cavalo, iria até a casa de uma bruxa e procuraria por um pé de groselhas-pretas no jardim. — Chanute limpou a faca ensanguentada na manga. — Só que tem que ser o jardim de uma bruxa devoradora de crianças.

— Pensei que todas as devoradoras de crianças tivessem fugido para a Lorena, desde que, além da imperatriz, as outras bruxas também começaram a caçá-las.

— Mas as casas delas ainda estão aqui. Os arbustos crescem nos lugares onde elas enterraram os ossos de suas vítimas. As groselhas-pretas são o melhor antídoto que conheço contra feitiços.

Groselha de bruxas. Jacob olhou para a porta de forno pendurada na parede.

— A bruxa na Floresta Negra era uma devoradora de crianças, não era?

— Uma das piores. Uma vez estive na casa dela em busca de um desses pentes que o transformam num corvo quando você o enfia nos cabelos.

— Eu sei. Você me mandou na frente.

— É mesmo? — Envergonhado, Chanute coçou o nariz carnudo. Ele fizera Jacob acreditar que a bruxa não estava em casa.

— Você jogou aguardente nos meus ferimentos. — Ainda se viam as marcas dos dedos da bruxa no pescoço de Jacob. As queimaduras levaram semanas para sarar. Jacob jogou a mochila nos ombros. — Preciso de um cavalo de carga, mantimentos, duas espingardas e munição.

Chanute parecia não ter ouvido Jacob. Estava olhando para seus troféus.

— Bons velhos tempos — murmurou. — A imperatriz me recebeu pessoalmente três vezes. E você, quantas foram?

Jacob fechou a mão em volta do lenço em seu bolso, até que sentiu dois táleres de ouro entre os dedos.

— Duas vezes — ele disse, e jogou as moedas em cima da mesa. Já tivera seis audiências imperiais, mas a mentira deixou Chanute muito feliz.

— Pegue o seu ouro de volta! — ele resmungou. — Não aceito dinheiro de você. — Então estendeu sua faca para Jacob.

— Tome — ele disse. — Não há nada que esta lâmina não corte. Acho que você vai precisar mais dela do que eu.

6
Um tolo apaixonado

Will não estava lá. Jacob viu assim que passou com o cavalo de carga pelo portão desmoronado da ruína. Ela estava tão abandonada, como se seu irmão nunca o tivesse seguido através do espelho, como se estivesse tudo bem e aquele mundo ainda fosse seu, somente seu. Por um instante, surpreendeu-se quase sentindo alívio. *Deixe-o ir, Jacob.* Por que não esquecer que tinha um irmão?

— Ele disse que vai voltar. — Fux estava sentada entre as colunas. A noite enegrecia seu pelo. — Tentei impedi-lo, mas ele é exatamente tão teimoso quanto você.

Mais um erro, Jacob. Ele devia ter levado Will para Schwanstein em vez de escondê-lo na ruína. Will queria ir para casa. Apenas para casa. Mas a pedra iria junto com ele.

Jacob deixou o cavalo com os outros dois que pastavam atrás da ruína e andou até a torre. Sua longa sombra escreveu uma única palavra nos ladrilhos: voltar.

Uma ameaça para você, Jacob, uma esperança para Will.

A hera crescia tão espessa sobre as pedras cobertas de fuligem que sua ramagem verde descia como uma cortina diante da abertura da porta. A torre era a única parte do castelo que sobrevivera quase incólume ao fogo. Em seu interior, os morcegos dançavam, e a escada de corda que Jacob instalara ali anos antes adquirira um brilho prateado na escuridão. Os elfos depositavam nela o seu pó, como se não quisessem deixá-lo esquecer que ele havia descido por ela anos antes, quando viera de outro mundo.

Fux olhou preocupada quando Jacob pôs as mãos nas cordas.

— Partiremos assim que eu voltar com Will — ele disse.

— Partiremos? Para onde?

Mas Jacob já subia pela escada oscilante.

O quarto da torre estava claro com a luz das duas luas, e seu irmão estava ao lado do espelho. Ele não estava sozinho.

A garota soltou-se de seus braços assim que ouviu Jacob chegar. Ela era mais bonita do que nas fotos que Will havia lhe mostrado. *Um tolo apaixonado.*

— O que ela está fazendo aqui? — Jacob sentiu a própria irritação como geada sobre a pele. — Você perdeu a cabeça?

Ele limpou o pó élfico das mãos. Se não se tomasse cuidado, o pó agia como um sonífero.

— Clara. — Will segurou sua mão. — Este é o meu irmão. Jacob.

Ele pronunciou o nome dela como se tivesse pérolas na língua. Will sempre levara o amor a sério demais.

— O que mais precisa acontecer para você compreender que tipo de lugar é este? — vociferou Jacob. — Mande-a de volta. Imediatamente.

Ela estava com medo, mas se esforçava para escondê-lo. Medo do lugar que não podia existir, da lua vermelha que pairava lá fora no céu — *e de você, Jacob.* Ela parecia surpresa que ele realmente existisse. O irmão mais velho de Will. Irreal como o lugar onde estava.

Ela segurou a mão deformada de Will.

— O que é isso? — ela perguntou com voz trêmula. — O que aconteceu com ele? Nunca vi uma irritação cutânea assim!

Claro. A estudante de medicina... Olhe para ela, Jacob. Tão doentiamente apaixonada quanto seu irmão. Tão apaixonada que seguiu Will até outro mundo.

Acima deles, ouviu-se algo se arrastando, e um rosto esquálido os espreitava das vigas. O stilz que mordera Jacob em sua primeira incursão atrás do espelho não se deixava expulsar dali mesmo depois de tantos anos, mas, quando Jacob sacou a pistola, seu rosto feio desapareceu depressa entre as teias de aranha. Por algum tempo, ele utilizara os velhos revólveres da coleção do pai, e acabara por mandar um armeiro, em Nova York, equipar um dos modelos anacrônicos com a vida interior de uma pistola moderna.

Clara olhou assustada para o cano brilhante da arma.

— Mande-a de volta, Will. — Jacob pôs a arma de volta no cinto. — Não vou repetir.

Will já havia passado por coisas mais assustadoras do que irmãos mais velhos, mas finalmente se virou e tirou os cabelos loiros da testa de Clara.

— Jacob tem razão — ele o ouviu sussurrar. — Irei logo depois. Vai sumir, você vai ver. Meu irmão vai achar um jeito.

Jacob nunca compreendera de onde vinha aquela grande confiança. Nada podia abalá-la, nem mesmo todos os anos em que ele raramente via o irmão.

Jacob virou-se e dirigiu-se para o alçapão.

— Volte, Clara. Por favor — ouviu Will dizer.

Ele já estava no pé da escada quando o irmão enfim o seguiu. Will desceu hesitante, como se não quisesse nunca chegar embaixo. Depois ficou observando o pó élfico em suas mãos. Sono profundo e sonhos alucinantemente belos. Não era o pior dos presentes. Mas limpou o pó dos dedos como Jacob lhe ensinara e passou a mão no pescoço. Também ali já aparecia o primeiro verde-pálido.

— Você não precisa de ninguém, não é, Jake? — Em sua voz quase soou algo como inveja. — Sempre foi assim.

Jacob afastou a hera para o lado.

— Se você precisa dela tanto assim — ele disse —, deve deixá-la ficar onde está segura.

— Eu só queria telefonar para ela! Fazia semanas que ela não tinha notícias minhas. Não esperava que ela viesse atrás de mim.

— Ah, é? E o que você estava esperando lá em cima?

A essa pergunta Will não respondeu.

Fux esperava junto dos cavalos. E não gostou nem um pouco de Jacob ter trazido Will de volta. *Ninguém pode ajudá-lo.* Era o que seu olhar continuava a dizer.

Vamos ver, Fux.

Os cavalos estavam inquietos. Will acariciou as narinas deles, tranquilizando-os. Seu doce irmão. Antigamente, ele levava para casa todos os cães que encontrava na rua e derramava lágrimas pelos ratos envenenados no parque. Mas o que estava crescendo em sua pele agora era tudo menos doce.

— Para onde vamos?

Ele olhou para a torre.

Jacob deu-lhe uma das espingardas que estavam penduradas na sela do cavalo de carga.

— Para a Floresta Negra.

Fux ergueu a cabeça.

Sim, eu sei, Fux. Não é um lugar agradável.

Sua égua cutucou-o nas costas com a cabeça. Jacob pagara a Chanute o ganho de todo um ano por ela, e ela valia cada táler. Ele estava apertando a cilha, quando Fux deu um rosnado de advertência.

Passos. Eles foram ficando mais lentos. E pararam.

Jacob se virou.

— Não importa que tipo de lugar é este... — Clara estava entre as colunas enegrecidas. — Não vou embora. Will precisa de mim. E quero saber o que aconteceu.

Fux olhou para ela assombrada, como se visse um animal raro. No seu mundo, as mulheres usavam vestidos longos e prendiam os cabelos no alto da cabeça ou os trançavam, como as filhas dos camponeses. Aquela ali usava calças, e os cabelos eram quase tão curtos quanto os de um garoto.

O uivo de um lobo soou na escuridão, e Will puxou Clara para junto de si. Ele tentou dissuadi-la, mas ela apenas segurou seu braço e seguiu com os dedos os veios de pedra em sua pele.

Você não é mais o único que cuida de Will, Jacob.

Clara olhou para ele, e por um instante o rosto dela lembrou o de sua mãe. Por que ele nunca lhe contara sobre o espelho? E se o mundo atrás dele apagasse pelo menos um pouco da tristeza de seu rosto?

Muito tarde, Jacob. Tarde demais.

Fux ainda não tirara os olhos da garota. Às vezes, Jacob esquecia que ela também era uma.

Um segundo lobo uivou. A maioria deles era pacífica, mas às vezes havia um pardo entre eles, e os pardos adoravam carne humana.

Preocupado, Will escutou na noite. Então falou com Clara novamente.

Fux ergueu o nariz.

— Acho que devemos partir — ela sussurrou para Jacob.

— Não antes que ele a mande de volta.

Fux olhou para ele. Olhos de âmbar.

— Leve-a.

— Não!

Ela apenas os retardaria, e Fux sabia tão bem quanto ele que o tempo estava escoando para Will. Mesmo que ele ainda não tivesse explicado isso ao irmão.

Fux deu meia-volta.

— Leve-a — ela disse mais uma vez. — Seu irmão precisará dela. E você também. Ou não confia mais no meu faro?

Então desapareceu na noite, como se estivesse farta de esperar.

7
A casa da bruxa

Uma selva de raízes, espinhos e folhas. Árvores centenárias e árvores jovens que se esticavam em busca da luz que incidia muito escassamente sob o denso teto de copas. Enxames de fogos-fátuos sobre charcos pútridos. Clareiras nas quais cogumelos venenosos traçavam círculos mortíferos. Jacob estivera pela última vez na Floresta Negra quatro meses antes, para procurar um homem-cisne que usava uma camisa de urtigas sobre as penas. Mas depois de três dias desistira da busca, porque não conseguia mais respirar sob as árvores escuras.

Eles chegaram à beira da floresta somente por volta do meio-dia, porque Will tivera dores novamente. Agora a pedra se alastrava também pelo pescoço, mas Clara agia como se não visse. O amor é cego. Ela parecia querer confirmar o ditado. Não arredava do lado de Will, e punha o braço em volta dele quando a pedra crescia, o que o fazia se contorcer de dor em cima da sela. Mas, quando ela não se sentia observada, Jacob via o medo em seu rosto. Quando ela perguntou o que ele sabia sobre a pedra, respondeu com a mesma mentira que contara ao irmão: que somente a pele de Will se alterava e que seria facílimo curá-lo naquele mundo. Não foi difícil convencê-los. Ambos estavam muito dispostos a acreditar em qualquer mentira consoladora que ele lhes contasse.

Clara cavalgava melhor do que o esperado. Numa feira no caminho, Jacob comprara-lhe um vestido, mas ela lhe pedira para trocá-lo por roupas masculinas depois de tentar em vão montar seu cavalo com a longa saia rodada. Uma garota vestida como um homem e a pedra na pele de Will — Jacob ficou contente quando deixaram para trás as aldeias e as ruas e passaram a cavalgar sob as árvores, muito embora soubesse o que os esperava ali. Vampiros dos troncos, cogumeleiros, armadilheiros, homens-corvos — na Floresta Negra residiam seres nada amistosos, embora já fizesse anos que a imperatriz tentava livrá-la desses horrores. Apesar do perigo, havia um intenso comércio de chifres, dentes e peles de seus habitantes. Jacob nunca ganhara dinheiro dessa maneira, mas havia muitos que viviam disso folgadamente: quinze táleres de prata por um cogumeleiro (com acréscimo de dois táleres se ele cuspisse veneno de cogumelo mata-moscas), trinta por um vampiro dos troncos (o que não era muito, tendo em vista que a caçada facilmente terminava com a morte) e quarenta por um homem-corvo (cujo interesse, de qualquer forma, residia apenas nos olhos).

Muitas árvores já perdiam as folhas, mas o teto formado pelas copas ainda era tão denso que o dia se perdia na penumbra sarapintada do outono. Logo eles tiveram de desmontar, pois os cavalos se enroscavam cada vez mais nos arbustos espinhentos, e Jacob recomendou a Clara que não tocasse nas árvores. Contudo, as pérolas cintilantes que um vampiro dos troncos fizera brotar como isca na casca de um carvalho fizeram Clara esquecer a advertência. Jacob conseguiu arrancar a repugnante criaturinha do pulso dela antes que se enfiasse por dentro de sua manga.

— Este — ele disse, e segurou o vampirinho tão perto de seus olhos que ela viu seus dentes afiados sob os lábios ásperos — é um dos motivos pelos quais vocês não devem tocar nas árvores. A primeira mordida o deixa tonto, a segunda o paralisa, mas você ainda está totalmente consciente quando chega toda a parentalha e suga o seu sangue até se fartar. Uma forma nem um pouco agradável de morrer.

Agora você entende por que devia tê-la mandado de volta?

Will leu a censura no rosto de Jacob, enquanto puxava Clara para junto de si. Mas a partir de então ela tomou cuidado. Quando uma rede úmida de orvalho de um armadilheiro se estendeu no caminho diante deles, foi Clara quem puxou Will para trás a tempo, e também quem espantou os corvos-dourados que queriam crocitar maldições em seus ouvidos.

Não importava. Ela não pertencia àquele mundo. Ainda menos do que seu irmão.

Fux se virou e olhou para ele.

Pare com isso, seus olhos advertiram. *Ela está aqui, e vou lhe dizer mais uma vez: ele vai precisar dela.*

Fux. Sua sombra de pelos. Com seu zumbido, os fogos-fátuos, cujos enxames pairavam por toda parte entre as árvores, já haviam várias vezes desorientado completamente o próprio Jacob, mas Fux os espantava de seu pelo como a moscas inoportunas e avançava resoluta.

Depois de três horas, entre carvalhos e freixos, surgiu a primeira árvore-de-bruxa, e Jacob acabara de advertir Clara e Will sobre seus galhos, que gostavam de furar os olhos das pessoas, quando Fux parou de repente.

O ruído quase se afogava nos zumbidos dos fogos-fátuos. Ele soava como o tic-tic de uma tesoura. Não era um ruído muito assustador. Will e Clara nem sequer o notaram. Mas o pelo da raposa se eriçou, e Jacob pôs a mão na espada. Ele conhecia apenas um morador daquela floresta que fazia tal ruído, e era o único que não gostaria de encontrar em hipótese alguma.

— Vamos mais rápido — sussurrou para Fux. — Quanto ainda falta até a casa?

Tic-tic. Estava mais perto.

— Falta pouco — sussurrou Fux.

O ruído parou, mas o silêncio repentino soou igualmente ameaçador. Nenhum pássaro cantava. Os próprios fogos-fátuos haviam desaparecido. Fux lançou um olhar preocupado entre as árvores, antes de prosseguir tão afoita que os cavalos quase não conseguiam segui-la na mata fechada.

A floresta ficou mais escura, e Jacob tirou do alforje a lanterna que havia trazido do outro mundo. No caminho havia cada vez mais árvores-de-bruxa, das quais eles tinham de se esquivar. Ameixeiras espinhosas substituíam freixos e carvalhos. Pinheiros estrangulavam a escassa luz entre suas agulhas verde-escuras, e os cavalos se assustaram já quando viram a casa surgir no meio das árvores.

Quando Jacob estivera ali anos antes com Chanute, as telhas brilhavam através das árvores, tão vermelhas como se a bruxa as tivesse tingido com suco de cerejas. Agora o musgo as cobria, e a tinta das janelas estava descascando; mas nas paredes e no telhado pontiagudo ainda se viam alguns pedaços de bolo. Na calha e no batente das janelas, havia pinhas feitas de puro açúcar penduradas, e toda a casa cheirava a mel e canela, como era de se esperar numa armadilha para crianças. As bruxas tentaram banir as devoradoras de crianças de sua estirpe diversas vezes, e, dois anos antes, finalmente haviam declarado guerra. Dizia-se que a bruxa que espalhara o terror na Floresta Negra agora amargava sua existência como um sapo verrugoso num charco lamacento.

Na cerca de ferro ao redor da casa, ainda restavam alguns confeitos coloridos, e a égua de Jacob estremeceu quando ele a conduziu através do portão. A cerca de uma casa de doces deixava qualquer um entrar, mas ninguém podia sair. Chanute cuidara para que o portão ficasse bem aberto durante sua visita, mas o que os perseguia agora preocupava Jacob mais do que a casa abandonada. Assim que fechou o portão atrás de Clara, ele ouviu o tic-tic nitidamente mais uma vez, e agora soara quase furioso. Mas pelo menos não estava se aproximando, e Fux lançou um olhar de alívio para Jacob. Como imaginavam, seu perseguidor não era amigo da bruxa.

— E se ele ficar nos esperando? — sussurrou Fux.

Pois é, e então, Jacob? Para ele tanto fazia. Contanto que o arbusto que Chanute lhe descrevera ainda crescesse atrás da casa.

Will levara os cavalos até o poço e estava enchendo o balde enferrujado para lhes dar de beber. Ele olhou para a casa de doces como se examinasse uma planta venenosa. Clara, porém, passou a mão nos confeitos de açúcar, como se não pudesse acreditar que o que estava vendo era real.

Ouço um nhac-nhac,
será uma mordidinha?
E esse croc-croc,
é alguém roendo minha casinha?

Qual versão da história Clara conhecia?

Então ela pegou João com sua mão seca e levou-o para um galinheiro, onde o trancou atrás de uma porta de grades: ele podia gritar o quanto quisesse, que de nada adiantaria.

— Cuide para que ela não coma nada dos doces — Jacob disse para Fux. E saiu para procurar as groselhas-pretas.

Atrás da casa as urtigas cresciam tão altas que pareciam vigiar o jardim da bruxa. Elas queimaram a pele de Jacob, mas ele abriu caminho por entre as folhas venenosas até que, entre um pé de cicuta e outro de beladona, encontrou o que procurava: um arbusto discreto com folhas compostas. Jacob enchia a mão com as frutinhas pretas quando ouviu passos atrás de si.

Clara estava entre os canteiros abandonados.

— Acônito. Flores de sombra. Cicuta. — Ela olhou para ele com um olhar indagador. — São todas plantas venenosas.

Pelo visto ela também aprendera algumas coisas úteis como estudante de medicina. Will já havia lhe contado dezenas de vezes como a conhecera no hospital. Na enfermaria em que a mãe deles fora internada. *Quando você não estava lá, Jacob.*

Ele se levantou. Na floresta, soou novamente o tic-tic.

— Às vezes é preciso veneno para curar — ele disse. — Acho que não preciso explicar isso a você. Embora sobre estas frutinhas ninguém deva ter lhe ensinado nada.

Ele encheu as mãos dela com as groselhas-pretas.

— Will tem que comer uma dúzia delas. Até o sol nascer, elas devem ter surtido efeito. Convença-o a se deitar dentro da casa para dormir. Faz dias que ele não prega o olho.

Os goyls precisavam de pouco sono. Uma das muitas vantagens que tinham sobre os humanos.

Clara olhou para as groselhas. Ela tinha mil perguntas nos lábios, mas não fez nenhuma. O que Will tinha lhe contado sobre ele? *Pois é, eu tenho um irmão. Mas já faz tempo que ele é um estranho para mim.*

Ela se virou e parou para escutar a floresta. Dessa vez, ela também ouvira o tic-tic.

— O que é isso? — ela perguntou.

— Eles o chamam de Alfaiate. Ele não se atreve a atravessar a cerca, mas não poderemos sair enquanto estiver por aí. Vou tentar afugentá-lo. — Jacob tirou do bolso a chave que havia pegado da arca na estalagem de Chanute. — A cerca não deixará vocês saírem de novo, mas esta chave abre qualquer porta. Eu a jogarei por cima do portão, assim que estiver do lado de fora, para o caso de eu não voltar. Fux levará vocês de volta até a ruína. Mas não abra o portão antes de o dia clarear.

Will ainda estava junto do poço. Quando andou em direção a Clara, cambaleava de cansaço.

— Não o deixe dormir no cômodo da casa onde fica o forno — Jacob sussurrou para Clara. — O ar ali causa sonhos ruins. E cuide para que ele não venha atrás de mim.

Will comeu as groselhas sem vacilar. A magia que cura tudo. Já quando criança, ele acreditava muito mais do que Jacob em tais milagres. Seu cansaço era visível, e ele deixou que Clara o levasse para a casa de doces sem protestar. Atrás das árvores o sol se punha, e a lua vermelha pairava sobre as copas como uma impressão digital feita com sangue. Quando o sol viesse substituí-la, a pedra na pele do seu irmão seria apenas um sonho ruim. Se as groselhas surtissem efeito.

Se.

Jacob andou até a cerca e olhou para a floresta.

Tic-tic.

Seu perseguidor ainda estava lá.

Fux olhou preocupada para Jacob quando ele se aproximou da égua e tirou a faca de Chanute do alforje. Contra quem o esperava do lado de fora não adiantavam balas de revólver. Dizia-se que elas até mesmo tornavam o Alfaiate mais forte.

A floresta se encheu com mil sombras, e Jacob acreditou ver um vulto escuro entre as árvores. *Pelo menos ele vai encurtar a espera até o amanhecer para você, Jacob.* Enfiou a faca no cinto e tirou a lanterna da mochila. Fux correu atrás dele quando ele começou a andar em direção à cerca.

— Você não pode sair agora. Já está escurecendo.

— E daí?

— Talvez até de manhã ele já tenha ido embora!

— E por que ele iria?

O portão se escancarou assim que Jacob enfiou a chave na fechadura enferrujada.

Muitas mãos de crianças deviam tê-lo sacudido em vão.

— Fique aqui, Fux — ele disse.

Mas ela apenas se esgueirou para o outro lado sem dizer nada, e Jacob fechou o portão atrás deles.

8
Clara

O primeiro cômodo da casa era a câmara com o forno, mas Clara puxou Will para adiante quando ele olhou pela porta. O estreito corredor cheirava a bolo e a amêndoas doces e, no cômodo seguinte, em cima de uma velha poltrona, estava pendurado um xale bordado com pássaros pretos.

A cama ficava no último quarto. Ela quase não dava para os dois e os cobertores estavam roídos pelas traças, mas Will adormeceu antes que Jacob fechasse o portão lá fora. A pedra lhe sarapintava o pescoço, como haviam feito as sombras da floresta lá fora. Clara passou a mão suavemente sobre o verde-pálido. Tão frio e liso. Tão bonito e assustador ao mesmo tempo.

O que aconteceria se as frutinhas não surtissem efeito? O irmão sabia a resposta, mas ela o assustava, embora ele fosse muito bom em esconder o medo.

Jacob. Will falara dele para Clara, lhe mostrara, porém, somente uma foto, de quando ainda eram crianças. Já ali o olhar de Jacob era muito diferente do de seu irmão. Não havia nele nada da doçura de Will. Nem de sua calma.

Clara soltou-se do abraço de Will e cobriu-o com o cobertor da bruxa. Uma mariposa pousou em seu ombro, negra como um carimbo da noite. Ela voou dali quando Clara se inclinou sobre Will e o beijou. Ele não acordou, e ela o deixou sozinho e foi para fora.

A casa coberta de doces, a lua vermelha sobre as árvores — tudo o que ela via parecia tão irreal que a fazia se sentir uma sonâmbula. Tudo o que ela conhecia estava longe. Tudo de que ela se lembrava parecia perdido. A única coisa familiar era Will, mas algo estranho já crescia em sua pele.

A raposa não estava ali. Claro. Ela fora com Jacob.

A chave estava logo atrás do portão, como ele prometera. Clara a recolheu e acariciou o metal cinzelado. As vozes dos fogos-fátuos enchiam o ar como o zumbido de abelhas. Um corvo grasnou nas árvores. Clara, contudo, prestava atenção em outro ruído: o tic-tic cortante, que escurecera o rosto de Jacob de preocupação e o fizera voltar à floresta. Quem o esperava lá fora e fazia da casa de uma devoradora de crianças um refúgio seguro?

Tic-tic. Ali estava ele novamente. Como o abrir e fechar de dentes metálicos. Clara se afastou da cerca. Longas sombras avançavam em direção à casa, e ela sentiu o mesmo medo que sentira em criança quando ficara sozinha em casa e ouvira passos na escada.

Ela devia ter contado a Will o que seu irmão pretendia fazer. Ele nunca a perdoaria se Jacob não voltasse.

Ele iria voltar.

Ele precisava voltar.

Eles jamais encontrariam o caminho para casa sem ele.

9
O Alfaiate

Ele estava vindo atrás deles? Jacob andava devagar para que o caçador que eles haviam atraído pudesse segui-lo. Mas tudo o que ouviu foram os próprios passos, o estalar dos galhos apodrecidos sob as botas — o crepitar de folhas. Onde ele estava? Jacob já receava que o perseguidor tivesse esquecido seu medo de bruxas e se esgueirado através do portão quando de repente ouviu novamente o tic-tic. Pelo jeito era verdade o que se contava: o Alfaiate gostava de brincar de gato e rato com suas vítimas antes de executar seu ofício sanguinolento.

Ninguém sabia dizer quem ou o que ele era exatamente. As histórias sobre o Alfaiate eram quase tão antigas quanto a Floresta Negra. Só uma coisa todos sabiam: ele tinha esse nome devido ao seu estranho costume de confeccionar suas roupas com pele humana.

Tic-tic, clap-clap. Entre as árvores, abriu-se uma clareira, e Fux lançou um olhar de advertência para Jacob quando um bando de corvos levantou voo dos galhos de um carvalho. O clap-clap ficou tão alto que encobriu os próprios grasnidos dos pássaros, e o facho da lanterna iluminou a silhueta de um homem sob o carvalho.

O Alfaiate não gostou do dedo de luz que o tateava. Soltou um grunhido raivoso e tentou espantá-lo como a um inseto inoportuno. Mas Jacob fez a luz continuar tateando: o rosto barbudo coberto de uma crosta de sujeira, as vestes horripilantes que à primeira vista pareciam apenas couro animal curtido grosseiramente, as mãos brutas que executavam o trabalho sangrento. Os dedos da mão esquerda terminavam em lâminas largas, cada uma delas comprida como a de um punhal. Os da mão direita também eram letalmente longos, mas finos e pontiagudos como enormes agulhas de alfaiate. Em cada mão faltava um dedo — aparentemente, outras vítimas já haviam defendido sua pele —, mas o Alfaiate parecia não sentir muita falta deles. Ele movimentava suas agulhas assassinas no ar, como se recortasse um molde na sombra das árvores e tomasse medidas para as roupas que pretendia costurar com a pele de Jacob.

Fux arreganhou os dentes e recuou rosnando para junto de Jacob. Ele a enxotou para trás, pegou a espada com a mão esquerda e a faca de Chanute com a direita.

Seu adversário movia-se pesadamente, como um urso, mas suas mãos espetavam e cortavam com uma destreza assustadora através das moitas de cardos. Seus olhos eram inexpressivos como os de um morto, mas o rosto barbudo se contorcia numa máscara de bestialidade; ele arreganhou os dentes amarelados, como se quisesse também com eles arrancar a pele de Jacob da carne.

Primeiro, ele atacou com as lâminas largas. Jacob se defendeu com a espada, enquanto investia contra a mão de agulhas com a faca. Ele já havia lutado contra meia dúzia de soldados bêbados, contra guardas de castelos enfeitiçados, contra bandoleiros e uma matilha de lobos adestrados, mas aquilo ali era muito pior. O Alfaiate arremetia e golpeava tão implacavelmente que Jacob pensou ter caído dentro de uma máquina de triturar cereais.

O adversário não era especialmente alto, e Jacob era mais ágil. Apesar disso, ele logo sentiu os primeiros cortes nos ombros e nos braços. *Vamos lá, Jacob. Olhe para as roupas dele. Você quer acabar assim?* Ele decepou um dos dedos de agulha com a faca, aproveitou os uivos raivosos que se seguiram para tomar fôlego — e ergueu a espada exatamente um instante antes de as lâminas cortarem seu rosto. Duas das agulhas arranharam sua bochecha como as garras de um gato. A outra quase perfurou seu braço. Jacob recuou para junto das árvores, fazendo com que as lâminas cortassem as cascas dos troncos em vez de sua pele e que as longas agulhas penetrassem na madeira, e não em sua carne. Mas o Alfaiate sempre se libertava e simplesmente não se cansava, enquanto os braços de Jacob já estavam ficando pesados.

Ele decepou mais um dedo do adversário quando uma das lâminas raspou num tronco ao seu lado. O Alfaiate começou a uivar como um lobo, mas investiu ainda mais furioso contra Jacob, e de seu ferimento não escorria sangue.

Você vai acabar como um par de calças, Jacob! Sua respiração estava pesada. Seu coração batia acelerado. Ele tropeçou numa raiz e, antes que pudesse se erguer novamente, o Alfaiate cravou fundo uma das agulhas em seu ombro. A dor fez Jacob cair de joelhos, e ele não tinha ar suficiente para chamar Fux, quando ela pulou em cima do Alfaiate e fincou os dentes em sua perna. Ela já salvara a pele de Jacob muitas vezes, mas nenhuma em sentido tão literal. O Alfaiate sacudiu a perna tentando se livrar dela. Ele se esquecera de Jacob, e, quando ergueu enfurecido a mão com as lâminas para golpear o corpo peludo de Fux, Jacob decepou seu antebraço com a faca de Chanute.

O grito do Alfaiate ecoou na noite da floresta. Seus olhos arregalados miraram o toco de braço inútil e a mão armada com lâminas no chão coberto de musgo à sua frente. Ofegante, ele se virou para Jacob. A mão restante lançou-se contra ele com raiva mortífera. Três agulhas de aço, punhais assassinos. Jacob já pensava sentir o metal em suas entranhas; antes, porém, que as agulhas penetrassem sua carne, fincou profundamente a faca no peito do Alfaiate.

Ele grunhiu e pressionou os dedos em sua camisa hedionda. Então seus joelhos cederam.

Jacob precipitou-se para a árvore mais próxima e tomou fôlego, enquanto o Alfaiate se contorcia no musgo úmido. Um último estertor, e nada mais se ouviu. Mas Jacob não largou a faca, embora os olhos vazios no rosto imundo mirassem apenas o céu. Ele não tinha certeza se para o Alfaiate existia algo como a morte.

Fux tremia como se tivesse sido perseguida por uma matilha de cães.

Jacob se ajoelhou ao lado dela sem tirar os olhos do corpo imóvel. Ele não sabia quanto tempo ficara ali. Sua pele ardia, como se tivesse rolado em cima de cacos de vidro. Seu ombro latejava de dor, e ele ainda via diante dos olhos as lâminas em sua dança assassina.

— Jacob! — A voz de Fux parecia vir de uma longa distância. — Levante-se. Na casa é mais seguro!

Com muito custo, ele se levantou.

O Alfaiate continuava imóvel.

O caminho de volta para a casa da bruxa parecia interminável, e, quando finalmente ela despontou em meio às árvores, Jacob viu Clara esperando atrás da cerca.

— Oh, meu Deus! — ela apenas murmurou, quando viu o sangue em sua camisa.

Ela foi buscar água no poço e limpou os cortes. Jacob estremeceu quando os dedos de Clara tocaram seu ombro.

— O corte é profundo — ela disse, enquanto Fux se punha ao seu lado, preocupada. — Gostaria que ele sangrasse mais forte.

— Tem iodo no meu alforje, e alguma coisa para ataduras. — Jacob estava feliz por ela estar acostumada a ver ferimentos. — E Will? Está dormindo?

— Está.

E a pedra ainda estava lá. Ela não precisou dizer.

Jacob viu em seu rosto que ela queria saber o que havia acontecido na floresta; ele, contudo, não queria se lembrar.

Ela trouxe o iodo do alforje e borrifou-o sobre o ferimento, mas seu olhar permaneceu preocupado.

— Em cima de que plantas você se esfrega quando está ferida, Fux? — ela perguntou.

A raposa lhe mostrou algumas ervas no jardim da bruxa. Elas exalaram um cheiro agridoce quando Clara as rasgou em pedacinhos e colocou-os sobre a pele ferida.

— Tal qual uma bruxa nata — disse Jacob. — Pensei que Will tivesse conhecido você no hospital.

Ela sorriu. O sorriso a fez parecer muito jovem.

— No nosso mundo, as bruxas trabalham nos hospitais, esqueceu?

Clara percebeu as cicatrizes nas costas de Jacob quando puxou a camisa sobre seu ombro enfaixado.

— Como foi isso? — ela perguntou. — Devem ter sido ferimentos terríveis!

Fux lançou um olhar de cumplicidade para Jacob, mas ele somente abotoou a camisa e fez um ar de indiferença.

— Eu sobrevivi.

Clara olhou para ele pensativa.

— Obrigada — ela disse. — Seja lá o que tenha feito lá fora. Estou feliz que tenha voltado.

10
Pelo e pele

Jacob sabia demais sobre casas de doces para conseguir dormir tranquilo sob seu telhado de açúcar. Ele pegou o prato de zinco no alforje, sentou-se diante do poço e poliu-o com a manga até que ele se encheu de pão e queijo. Não era um menu de cinco pratos como o da mesinha ponha-se que ele encontrara para a imperatriz, mas em compensação era fácil de acomodar num alforje.

A lua vermelha mesclava ferrugem na noite, e ainda faltavam horas até o amanhecer, mas Jacob não se atreveu a ir verificar se a pedra na pele de Will já havia desaparecido. Fux sentou-se ao seu lado e começou a lamber o pelo. O Alfaiate a chutara, e ela sofrera também alguns cortes, mas estava bem. A pele humana era muito mais vulnerável do que o pelo. Ou a pele de goyl.

— Você também deveria ir se deitar — ela disse.

— Estou sem sono.

O ombro doía, e ele pensou sentir a magia negra da bruxa medindo forças com o feitiço da Fada Escura dentro da casa.

— O que você vai fazer se as groselhas não surtirem efeito? Mandar os dois de volta?

Fux fez um esforço para soar indiferente, mas assim mesmo Jacob ouviu em suas palavras a pergunta não pronunciada. Ele poderia dizer inúmeras vezes a Fux que gostava do mundo dela. Ela jamais perdia o medo de que um dia ele subisse na torre e nunca mais voltasse.

— Sim, claro — ele disse. — E eles viverão felizes pelo resto de suas vidas.

— E nós? — Fux aninhou-se junto dele quando o ar frio da noite a fez tiritar. — O inverno está chegando. Podíamos ir para o sul, para Granada ou para a Lombardia, e procurar a ampulheta por lá.

A ampulheta que parava o tempo. Algumas semanas antes ele não conseguia pensar em outra coisa. O espelho falante. O sapatinho de cristal. A roca que fiava ouro... Sempre havia algo ou alguém para se procurar naquele mundo. E a maior parte do tempo isso o fazia esquecer que havia procurado em vão pela única coisa que realmente queria encontrar.

Jacob pegou um pedaço de pão do prato e estendeu-o para Fux.

— Qual foi a última vez que você se transformou? — ele perguntou quando ela abocanhou o pão avidamente.

Ela quis escapulir, mas ele a segurou.

— Fux!

Ela tentou morder a mão dele, mas finalmente a sombra de raposa que o luar desenhava ao lado do poço se alongou, e a garota que estava ajoelhada ao lado de Jacob empurrou-o com mãos fortes.

Fux. Seus cabelos eram vermelhos como o pelo do qual ela gostava muito mais do que da pele humana. Eles caíam tão longos e cheios em suas costas que quase parecia que ela ainda estava usando seu pelo. O vestido que cobria a pele sardenta também cintilava ao luar como o pelo da raposa, e seu tecido parecia tramado com os mesmos cabelos sedosos.

Ela crescera nos últimos meses, quase tão de repente quanto um filhote se torna uma raposa adulta. Jacob, porém, ainda via se ajoelhar a seu lado a menina de dez anos que uma noite encontrou em vez da raposa, chorando ao pé da torre, porque ele ficara mais tempo do que o prometido no mundo de onde vinha. Fux o seguira durante quase um ano, sem que Jacob a tivesse visto uma só vez em sua figura humana, e ele sempre a lembrava de que ela poderia perder essa aparência se usasse seu pelo por muito tempo. Mesmo sabendo que, se tivesse de escolher, Fux preferiria sua pelagem. Aos sete anos, ela salvara uma raposa ferida das pauladas dos dois irmãos mais velhos e, no dia seguinte, encontrara o vestido de pelo em sua cama. A raposa lhe dera de presente a aparência que ela então havia passado a sentir como seu verdadeiro eu, e seu maior medo era que alguém um dia lhe roubasse o vestido e ela ficasse sem o pelo.

Jacob encostou no poço e fechou os olhos. *Vai ficar tudo bem, Jacob.* Mas a noite não queria terminar. Ele sentiu quando Fux encostou a cabeça em seu ombro, e finalmente adormeceu ao lado da garota que não queria a pele pela qual seu irmão precisava lutar. Seu sono foi agitado, e até mesmo seus sonhos foram de pedra. Chanute, o jornaleiro no mercado, a mãe, o pai — todos petrificados feito estátuas ao lado do Alfaiate morto.

— Jacob! Acorde!

Fux usava seu pelo novamente. A primeira luz da manhã infiltrava-se através dos pinheiros, e seu ombro doía tanto que ele quase não conseguiu se levantar. *Vai ficar tudo bem, Jacob. Chanute conhece este mundo como ninguém. Lembra como ele tirou aquele feitiço da bruxa de você? Você já estava quase morto. E a mordida do stilz. Sua receita contra veneno de tritão...*

Ele andou em direção à casa de doces, e a cada passo seu coração batia mais depressa.

O aroma adocicado no interior da casa quase o sufocou. Talvez por isso Will e Clara dormissem tão profundamente. Ela pusera o braço em volta de Will, e o rosto de seu irmão estava tão sereno que ele parecia estar dormindo na cama de um príncipe, e não de uma bruxa devoradora de crianças. A pedra, contudo, mesclava-se no lado esquerdo de seu rosto, como se tivesse sido derramada em sua pele, e na mão esquerda as unhas já eram quase tão negras quanto as garras que haviam semeado a carne de pedra em seu ombro.

Como o coração podia bater alto. Até o ponto de sufocar.

Vai ficar tudo bem.

Jacob ainda olhava para a pedra quando o irmão se mexeu. Seu olhar revelou tudo a Will. Ele pôs a mão no pescoço e seguiu a pedra com os dedos até a face.

Pense, Jacob! Mas sua mente se afogava no medo que ele via no rosto do irmão.

Eles deixaram Clara dormir, e Will seguiu-o para fora como um sonâmbulo aprisionado num pesadelo. Fux recuou diante dele, e o olhar de Jacob lhe dizia apenas uma coisa.

Perdido.

E Will estava exatamente assim. Perdido. Ele passou a mão no rosto deformado; pela primeira vez Jacob não viu nele a confiança que concedia muito mais facilmente, e sim todas as acusações que ele próprio se fazia. *Se tivesse prestado mais atenção, Jacob. Se não tivesse ido com ele tão longe para o leste. Se tivesse... Se não tivesse...*

Will foi até a janela atrás da qual estava o forno da bruxa e olhou para a imagem que o vidro escuro lhe mostrou. Jacob, porém, olhou para as teias de aranha pretas de fuligem que pendiam do telhado branco de açúcar. Elas o lembraram de outras redes, igualmente escuras, tecidas para capturar a noite.

Mas que idiota! O que ele estava fazendo na casa de uma bruxa? O feitiço era de uma fada. *Uma fada!*

Fux olhou para ele, aflita.

— Não! — ela latiu.

Às vezes, ela sabia o que ele estava pensando antes dele próprio.

— Ela poderá ajudá-lo, com certeza! Afinal, é irmã dela.

— Você não pode voltar para ela! Nunca mais.

Will se virou.

— Voltar para quem?

Jacob não respondeu. Ele segurou o medalhão que usava sob a camisa. Seus dedos ainda se lembravam de como ele colhera a pétala que havia dentro dele. Assim como seu coração se lembrava daquela contra a qual a pétala o protegia.

— Vá acordar Clara — ele disse para Will. — Vamos partir. Vai ficar tudo bem.

Era um longo caminho, quatro dias, se não mais, e eles tinham de ser mais rápidos do que a pedra.

Fux ainda olhava para Jacob.

Não, Jacob. Não!, suplicavam seus olhos.

Obviamente ela se lembrava tão bem quanto ele, ou até mesmo melhor.
Medo. Raiva. Tempo perdido... "Devem ter sido ferimentos terríveis!"
Mas era o único caminho que restava, se ele quisesse continuar a ter um irmão.

11
Hentzau

No goyl-homem que Hentzau encontrou na estação de diligências abandonada crescia uma pele de malaquita. O verde-escuro já salpicava metade de seu rosto. Hentzau o deixou ir, como a todos os outros que havia encontrado, com a recomendação de que buscassem refúgio no próximo acampamento goyl antes que os de sua própria espécie os matassem. Ainda não se via ouro em seus olhos, apenas a lembrança de que sua pele nem sempre fora de malaquita. Ele saiu correndo, como se ainda houvesse um lugar para onde voltar, e Hentzau horrorizou-se com a ideia de que a fada poderia semear carne humana em sua pele de jaspe.

Malaquita, hematita, jaspe, ele e seus soldados haviam encontrado até mesmo a cor da pele de seu rei, mas não a pedra que procuravam.

Jade.

Velhas senhoras usavam-na como amuletos ao pescoço e ajoelhavam-se em segredo diante de ídolos feitos dessa pedra. Mães costuravam-na nas roupas dos filhos para que ela os tornasse corajosos e os protegesse. Mas nunca houvera um goyl cuja pele fosse de jade.

Por quanto tempo a Fada Escura o faria procurar? Por quanto tempo ele teria de fazer papel de bobo diante de seus soldados, do rei e de si mesmo? E se ela apenas tivesse inventado o sonho para separá-lo de Kami'en? E ele partira imediatamente, leal e obediente como um cão.

Hentzau olhou para a estrada deserta que terminava no meio das árvores. Os soldados estavam nervosos. Os goyls temiam a Floresta Negra tanto quanto os humanos. A fada também sabia disso. Era um jogo. Sim, era isso. Nada além de um jogo, e ele já estava cansado de fazer o papel de seu cãozinho.

A mariposa pousou em seu peito justamente quando ele ia dar a ordem de montar. Ela se agarrou firme no ponto onde, sob o uniforme cinza, batia o seu coração, e Hentzau viu o goyl-homem com tanta nitidez quanto a fada o vira em seu sonho.

O jade mesclava-se à pele humana como uma promessa.

Não podia ser.

Então, as profundezas engendraram um rei e, numa época de grande perigo, surgiu um goyl de jade, nascido do vidro e da prata, que o tornou invencível.

Lendas. Em sua infância era o que ele mais gostava de ouvir, porque essas histórias davam ao mundo um sentido e um bom final. Um mundo que estava dividido em superior e inferior e era regido por deuses de carne macia. Hentzau, no entanto, lhes cortara a carne macia e aprendera que não eram deuses — assim como aprendera que o mundo não fazia sentido e nada tinha um bom final.

Mas ali estava ele. Hentzau o via tão nitidamente, como se pudesse estender a mão e tocar a pedra verde-pálida que já salpicava sua face.

O goyl de jade. Nascido do feitiço da fada.

Ela planejara assim? Ela havia semeado toda a carne de pedra apenas para colhê-lo?

O que isso lhe interessa, Hentzau? Encontre-o!

A mariposa abriu novamente as asas, e ele viu campos nos quais ele próprio havia lutado alguns meses antes. Campos que beiravam o extremo oriental da floresta. Ele estava procurando do lado errado.

Hentzau reprimiu um palavrão e matou a mariposa.

Quando ele deu a ordem de voltar para o leste, os soldados olharam para ele espantados. Mas ficaram aliviados por não serem conduzidos ainda mais fundo na floresta. Hentzau limpou as asas esmagadas do uniforme e montou seu cavalo. Ninguém mais vira a mariposa, e todos confirmariam que ele havia encontrado o goyl de jade sem a ajuda da fada — assim como ele dizia a todos que fora Kami'en quem vencera a guerra, e não o feitiço de sua amante imortal.

Jade.

Ela sonhara a verdade.

Ou tornara um sonho realidade.

12
Os semelhantes

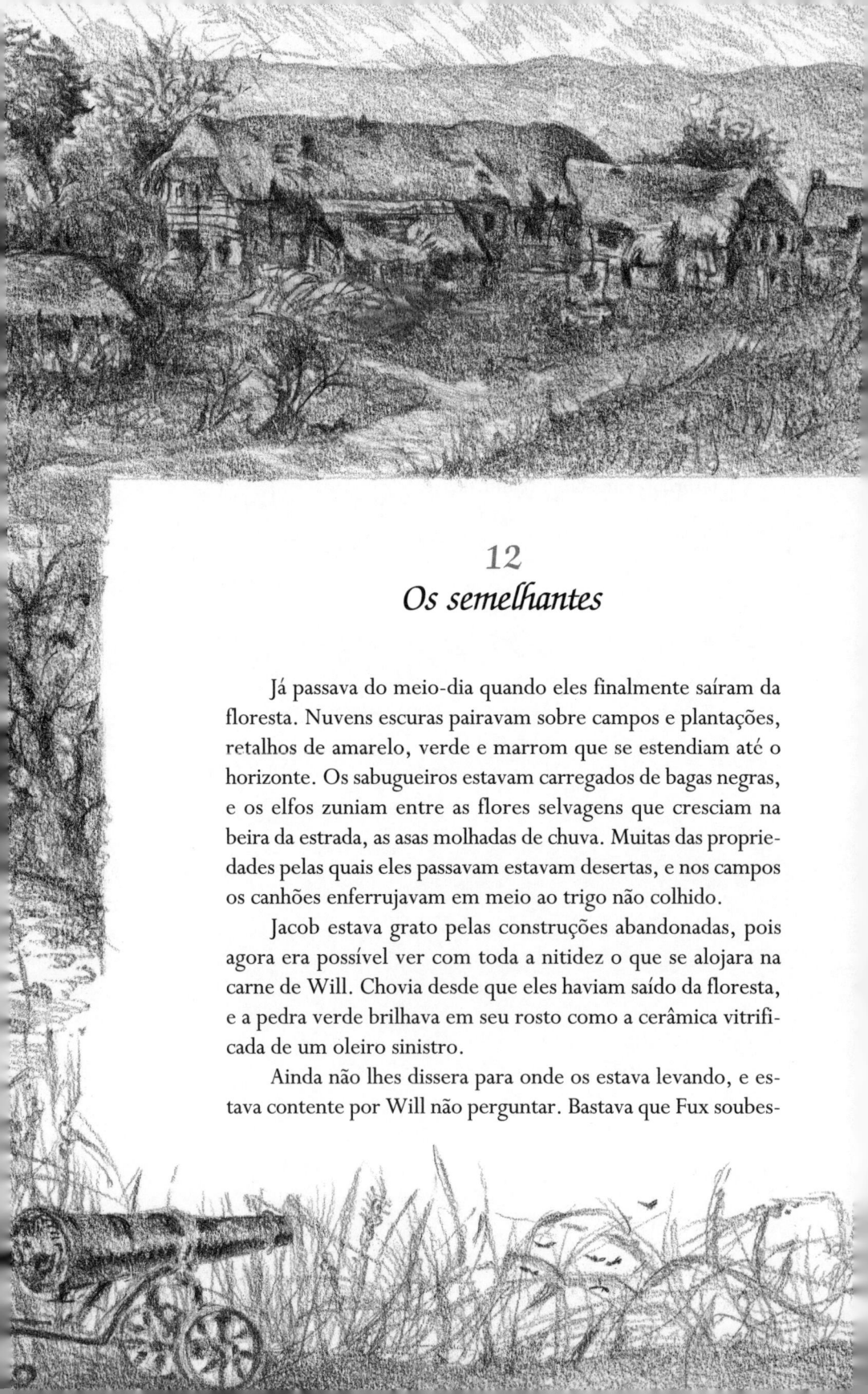

Já passava do meio-dia quando eles finalmente saíram da floresta. Nuvens escuras pairavam sobre campos e plantações, retalhos de amarelo, verde e marrom que se estendiam até o horizonte. Os sabugueiros estavam carregados de bagas negras, e os elfos zuniam entre as flores selvagens que cresciam na beira da estrada, as asas molhadas de chuva. Muitas das propriedades pelas quais eles passavam estavam desertas, e nos campos os canhões enferrujavam em meio ao trigo não colhido.

Jacob estava grato pelas construções abandonadas, pois agora era possível ver com toda a nitidez o que se alojara na carne de Will. Chovia desde que eles haviam saído da floresta, e a pedra verde brilhava em seu rosto como a cerâmica vitrificada de um oleiro sinistro.

Ainda não lhes dissera para onde os estava levando, e estava contente por Will não perguntar. Bastava que Fux soubesse que seu objetivo era o único lugar naquele mundo ao qual ele jurara nunca mais voltar.

Logo a chuva começou a cair tão impiedosa que o próprio pelo de Fux não oferecia mais proteção, e o ombro de Jacob doía quase o tempo inteiro, como se o Alfaiate o perfurasse novamente com suas agulhas. Bastava olhar para o rosto de Will, contudo, para que ele desistisse de qualquer ideia de descansar. O tempo escoava.

Talvez tivesse sido a dor que o tornara imprudente. Ele quase não notou as construções abandonadas à beira da estrada, e Fux farejou-as somente quando era tarde demais. Oito homens, maltrapilhos, porém armados. Eles saíram tão de repente de um dos estábulos cravejados de tiros que apontaram as espingardas antes que Jacob pudesse pegar a pistola. Dois deles usavam o sobretudo do uniforme imperial e um terceiro, a jaqueta cinzenta dos goyls. Saqueadores e desertores. Legado da guerra. Um deles carregava no cinto os troféus com os quais os soldados da imperatriz também gostavam de se enfeitar: dedos dos inimigos de pele de pedra, em todas as cores que podiam encontrar.

Por um momento, Jacob teve esperanças de que eles não notassem a pedra, pois Will havia puxado o capuz sobre o rosto por causa da chuva. Mas um deles, magro como uma doninha esfomeada, notou a mão deformada quando fazia Will descer do cavalo e tirou-lhe o capuz da cabeça.

Clara tentou se pôr diante dele para protegê-lo, mas o homem com a jaqueta de goyl empurrou-a brutalmente para trás, e o rosto de Will tornou-se o de um estranho. Era a primeira vez que Jacob via nele tão sem disfarce o desejo de ferir alguém. Will tentou se soltar, mas o Doninha lhe deu um tapa no rosto; quando a mão de Jacob buscou o revólver, o líder encostou a espingarda em seu peito.

Era um sujeito abrutalhado com apenas três dedos na mão esquerda; sua jaqueta esfarrapada estava coberta com as pedras semipreciosas que os oficiais goyls usavam na gola para mostrar sua posição hierárquica. Nos campos de batalha, quando os vivos deixavam os mortos para trás, era possível fazer fartos butins.

— Por que ainda não o matou? — ele perguntou enquanto revistava os bolsos de Jacob. — Você ainda não ouviu? Não há mais recompensas por iguais a ele desde que começaram as negociações.

Ele tirou o lenço do bolso de Jacob, mas felizmente o pôs de volta sem prestar atenção, antes que um táler de ouro caísse em sua mão calejada. Atrás deles, Fux correu para o celeiro, e Jacob sentiu que Clara olhava para ele em busca de ajuda. O que ela estava pensando? Que ele podia enfrentar oito homens?

O Três-Dedos despejou o conteúdo do saco de dinheiro na mão e grunhiu desapontado ao encontrar apenas algumas moedas de cobre. Mas os outros ainda olhavam para Will. Eles o matariam. Apenas por diversão. E pendurariam no cinto os dedos de seu irmão. *Faça alguma coisa, Jacob! Mas o quê? Falar. Ganhar tempo. Esperar por um milagre.*

— Vou levá-lo para alguém que vai lhe devolver a pele! — A chuva escorria em seu rosto e o Doninha pressionava a espingarda nas costelas de Will.

Continue a falar, Jacob.

— Ele é meu irmão! Deixe-nos ir, e voltarei daqui a uma semana com um saco cheio de ouro.

— Claro. — O Três-Dedos fez um sinal para os outros com a cabeça. — Leve-os para trás do celeiro, e neste aqui atirem na cabeça. Gosto das roupas dele.

Jacob empurrou para trás os dois que o seguravam, mas um terceiro encostou a faca em seu pescoço. Ele usava roupas de camponês. Nem todos haviam sempre sido salteadores.

— O que você está falando? — ele vociferou com Jacob. — Nada trará a sua pele de volta... Atirei em meu próprio filho quando a pedra da lua começou a crescer na testa dele!

Jacob mal conseguia respirar, de tão firme que a lâmina pressionava sua garganta.

— É o feitiço da Fada Escura! — ele disse ofegante. — Por isso vou levá-lo para a irmã dela. Ela vai quebrar o feitiço.

Todos olharam para ele. Fada. Uma só palavra. Quatro letras nas quais se uniam toda a magia e todos os horrores daquele mundo.

A pressão da faca cedeu, mas o rosto do homem ainda estava desfigurado pela raiva e pela dor impotente. Jacob se sentiu tentado a perguntar que idade seu filho tinha.

— Ninguém vai até as fadas assim sem mais nem menos. — O garoto do qual vinha a voz tinha no máximo quinze anos. — Elas pegam você!

— Eu conheço um caminho — *Fale, Jacob.* — Já estive com elas uma vez!

— Ah, é? E então por que não está morto? — A faca cortou sua pele. — Ou louco, como os que voltam de lá e se afogam na primeira lagoa!

Jacob sentiu que Will olhava para ele. O que o irmão estaria pensando? Que ele estava inventando histórias como antigamente, quando eram crianças e Will não conseguia dormir?

— Ela vai ajudá-lo — disse Jacob mais uma vez, rouco por causa da pressão da faca. *Mas infelizmente vocês vão nos matar primeiro. E isso não vai fazer seu filho viver novamente.*

O Doninha pressionou a espingarda contra a face desfigurada de Will.

— Até as fadas! Não percebe que ele está fazendo você de bobo, Stanis? Vamos fuzilá-los de uma vez.

Ele empurrou Will para o celeiro, e outros dois pegaram Clara. *Agora, Jacob. O que você tem a perder?* Mas o Três-Dedos virou-se de repente e olhou para o sul, além dos estábulos. O resfolegar de cavalos soava na chuva.

Cavaleiros.

Eles vinham pelos campos baldios, em cavalos tão cinzentos quanto seus uniformes, e o rosto de Will revelou quem eram antes que o Doninha gritasse para os outros.

— Goyls!

O camponês apontou a espingarda para Will como se somente ele pudesse tê-los atraído, mas Jacob o atingiu antes que ele pudesse apertar o gatilho. Três dos goyls sacaram as espadas em pleno galope. Eles ainda preferiam lutar com essas armas, embora ganhassem as batalhas com suas espingardas. Clara olhou horrorizada para os rostos de pedra — e virou-se para Jacob. *Sim, é isso que ele vai se tornar. Você ainda o ama?*

Os saqueadores buscaram proteção atrás de uma carroça virada. Eles haviam esquecido seus prisioneiros, e Jacob empurrou Will e Clara em direção aos cavalos.

— Fux! — ele gritou enquanto pegava a égua. Onde ela estava?

Dois goyls caíram dos cavalos, e os outros buscaram proteção atrás do celeiro. O Três-Dedos era um bom atirador.

Clara já estava montada no cavalo, mas Will estava parado olhando para os goyls.

— Monte já esse cavalo, Will! — Jacob gritou enquanto ele próprio montava a égua.

Mas o irmão não se mexeu.

Jacob quis levar o cavalo até ele, mas no mesmo instante viu Fux sair correndo do celeiro. Ela mancava, e Jacob viu o Doninha erguer o fuzil. Jacob o derrubou com um disparo, e, quando puxou as rédeas e se curvou na sela para apanhar Fux, uma coronhada atingiu-o no ombro ferido. O garoto. Ele estava ali, segurando pelo cano a espingarda descarregada, prestes a investir novamente, como se junto com Jacob pudesse matar o próprio medo.

A dor fez tudo ficar borrado diante dos olhos de Jacob. Ele conseguiu sacar a pistola, mas os goyls chegaram antes. Um bando deles saiu de trás do celeiro e uma de suas balas atingiu o garoto nas costas.

Jacob apanhou Fux e a pôs em cima da sela. Will também já havia montado no cavalo, mas ainda olhava fixamente para os goyls.

— Will! — gritou Jacob. — Mas que droga, vamos!

O irmão nem ao menos olhou para ele, parecia ter se esquecido dele e de Clara.

— Will! — ela gritou, com um olhar desesperado para os homens que lutavam.

Will, porém, só voltou a si quando Jacob o puxou pelas rédeas.

— Vamos! — ele gritou mais uma vez. — Ande e não olhe para os lados.

E seu irmão finalmente virou o cavalo.

13
A utilidade das filhas

Derrotada. Teresa da Austrásia estava em pé junto à janela olhando para as sentinelas do palácio lá embaixo. Elas montavam guarda diante do portão como se nada tivesse acontecido. Toda a cidade estava ali como se nada tivesse acontecido. Mas ela perdera uma guerra. Pela primeira vez. E todas as noites sonhava que se afogava em águas sangrentas, que no final se transformavam na pele de pedra vermelho-pálida do inimigo.

Fazia meia hora que seus ministros e generais lhe explicavam por que ela havia perdido. Eles estavam no salão de audiências, enfeitados com as medalhas com as quais ela os condecorara e tentavam imputar-lhe a culpa. *As espingardas dos goyls são melhores. Seus trens são mais rápidos.* Mas o rei de pele de cornalina vencera aquela guerra porque entendia mais de estratégia do que todos eles juntos. E porque tinha uma amante que, pela primeira vez em trezentos anos, colocara a magia das fadas a serviço de um rei.

Uma carruagem parou diante do portão, e três goyls desceram. Como pareciam civilizados. Nem sequer usavam uniforme. Que gratificante seria mandar os guardas arrastá-los para o pátio e matá-los, como seu avô fizera. Mas haviam sido outros tempos. Agora os goyls se encarregavam da matança. Eles se sentariam à mesa com seus conselheiros, tomariam chá em xícaras de prata e negociariam as condições da capitulação.

As sentinelas abriram o portão, e a imperatriz deu as costas para a janela quando os goyls cruzaram a praça diante do palácio.

Eles ainda falavam, todos os seus condecorados e inúteis generais, enquanto seus antepassados os observavam do alto das paredes revestidas de seda dourada. Bem perto da porta, estava pendurado o retrato de seu pai, magro e empertigado como uma cegonha, em guerra permanente contra o irmão, o rei da Lorena, assim como ela havia anos guerreava com o filho dele. Ao lado do pai, estava pendurado seu avô, que, assim como o goyl, uma vez tivera um caso com uma fada e acabara se afogando de saudades no lago de ninfeias que havia atrás do palácio. Ele se fizera retratar montado num unicórnio, para o qual seu cavalo favorito, com um chifre de narval na testa, servira de modelo. Ele era ridículo, e Teresa sempre gostara muito mais do próximo retrato, que mostrava seu tataravô e o irmão mais velho dele, que fora deserdado por levar a alquimia muito a sério. O pintor retratara seus olhos cegos de forma tão realista que o pai dela ficara indignado, mas Teresa, quando pequena, costumava pôr uma cadeira debaixo da pintura para observar mais de perto a pele com cicatrizes e os olhos mortos. Contava-se que ele havia perdido a visão num experimento no qual tentara transformar o próprio coração em ouro; apesar disso, de todos os seus antepassados, era o único que sorria — por essa razão, na sua infância, ela possuía a firme convicção de que o experimento fora bem-sucedido e que de fato em seu peito batera um coração de ouro.

Homens. Todos eles. Loucos ou não loucos. Nada além de homens.

Desde séculos, exclusivamente eles haviam se sentado no trono da Austrásia, e isso só mudara porque seu pai havia gerado quatro filhas, nem um único filho.

Também ela não tivera um filho. Apenas uma filha. Mas não pensara em transformá-la em mercadoria, como o pai fizera com suas irmãs mais novas. Uma para o Rei Torto, em seu sombrio castelo na Lorena, uma para seu primo obcecado por caça em Álbion, e a mais nova vendida a um príncipe do leste que já havia enterrado duas esposas.

Não. Ela pretendia fazer a filha subir ao trono. Ver seu retrato naquela parede, emoldurado em ouro, entre todos aqueles homens. Amália da Austrásia, filha de Teresa, que sonhara um dia ser chamada de a Grande. Mas não havia outra saída, ou ambas se afogariam nas águas sangrentas. Ela própria. A filha. O povo. O trono. Aquela cidade e todo o país, junto com os idiotas que ainda discutiam por que não tinham conseguido vencer aquela guerra para ela. O pai de Teresa teria mandado executá-los, mas e depois? Os próximos não seriam melhores. E o sangue deles não lhe traria de volta os soldados perdidos, as províncias que agora pertenciam aos goyls, ou o orgulho, que nos últimos meses afundara na lama de quatro campos de batalha.

— Basta.

Uma só palavra e fez-se silêncio no salão no qual já seu tataravô assinara sentenças de morte. Poder. Inebriante como o bom vinho.

Como eles encolheram a cabeça vaidosa. Olhe para eles, Teresa. Não seria gratificante mandar decapitá-los?

A imperatriz ajeitou o diadema de vidro élfico que já fora usado por sua tataravó e fez sinal para que um dos anões se aproximasse da escrivaninha. Aqueles eram os únicos anões no país que ainda usavam barba. Criados, guarda-costas, confidentes. Estavam a serviço de sua família havia gerações e ainda usavam os mesmos trajes de dois séculos antes. Golas de renda sobre veludo preto e as ridículas calças bufantes. Muito deselegante e completamente fora de moda, mas, assim como não se discutia religião com um padre, era impossível discutir tradição com anões.

— Escreva! — ela ordenou.

O anão subiu na cadeira. Ele teve de se ajoelhar sobre a almofada de tecido dourado-pálido. Auberon. Seu favorito, e o mais inteligente de todos. A mão com a qual ele pegou a caneta-tinteiro era pequena como a de uma criança; mãos como aquela, porém, rompiam correntes de ferro com a mesma facilidade com que os cozinheiros do palácio quebravam um ovo.

— Nós, Teresa, imperatriz da Austrásia... — Do alto das paredes, seus antepassados olhavam para ela com desaprovação, mas o que sabiam eles sobre reis nascidos no seio da terra e sobre fadas que transformavam a pele humana em pedra para torná-la igual à de seu amado? — ... vimos pela presente oferecer ao rei dos goyls a mão de nossa filha Amália em aliança matrimonial, com o intuito de pôr fim a essa guerra e selar a paz entre nossas grandiosas nações.

O silêncio se rompeu. Como se, com suas palavras, ela tivesse quebrado a redoma de vidro sob a qual todos se encontravam. Mas não havia sido ela, e sim o goyl quem desferira o golpe; agora ela tinha de lhe entregar a filha.

Teresa deu as costas para todos eles, e as vozes exaltadas se calaram. Apenas o farfalhar de seu vestido a seguia quando ela andou em direção às portas altas do salão. Elas não pareciam feitas para pessoas, e sim para os gigantes que, graças aos esforços de seu tataravô, estavam extintos havia sessenta anos.

Poder. Como o vinho, quando se tem. Como veneno, quando se perde. Teresa já sentia como ele a corroía.

Perdida.

14
O castelo dos espinhos

— Ele simplesmente não quer acordar! — A voz soou preocupada. E familiar. Fux.

— Não se preocupe. Ele só está dormindo. — A voz também era conhecida. Clara.

Acorde, Jacob! Dedos tocaram seu ombro febril. Ele abriu os olhos e viu a lua prateada desaparecer atrás de uma nuvem, como se quisesse se esconder de sua irmã vermelha. Seu brilho iluminava o escuro pátio de um castelo. Janelas altas refletiam as estrelas em seu vidro, mas não se via luz atrás delas. Nenhum archote ardia sobre as portas ou sob as enormes arcadas. Nenhum criado apressado atravessava o pátio, e no piso de pedra as folhas úmidas acumulavam-se tão alto como se fizesse anos que ninguém as varria.

— Até que enfim. Pensei que você nunca mais fosse acordar.

Quando Fux o cutucou no ombro com o focinho, Jacob gemeu.

— Cuidado, Fux!

Clara o ajudou a sentar. Ela havia acabado de trocar a atadura de seu ombro, mas a dor era ainda pior do que antes. Os salteadores, os goyls... tudo voltou com a dor, mas Jacob não conseguiu se lembrar quando perdera a consciência.

Clara se aprumou.

— A ferida não está com cara boa. Eu gostaria de ter alguns comprimidos do nosso mundo!

— Vai sarar. — Fux enfiou a cabeça por baixo do braço dele com uma expressão preocupada.

— Onde estamos? — ele perguntou.

— No único esconderijo que consegui encontrar. O castelo está abandonado. Ao menos pelos vivos.

Fux afastou as folhas apodrecidas com a pata. Um sapato ficou à mostra.

Jacob olhou ao redor. Em muitos pontos, a camada de folhas estava suspeitosamente alta, como se encobrisse corpos estendidos.

Onde estavam?

Jacob procurou apoio num muro para se erguer e puxou a mão de volta praguejando. As pedras estavam cobertas de trepadeiras cheias de espinhos. Elas se alastravam por toda parte, como um pelo espinhoso que tivesse crescido em todo o castelo.

— Rosas — ele murmurou, e colheu uma das bagas que cresciam na ramagem emaranhada. — Há anos estou procurando este castelo! A cama da Bela Adormecida. A imperatriz pagaria uma fortuna por ela.

Incrédula, Clara olhou para o pátio silencioso.

— Dizem que aquele que dormir em sua cama encontrará o verdadeiro amor. Mas, pelo jeito — Jacob olhou para as janelas escuras —, o príncipe nunca veio.

Ou morrera como um pássaro espetado nos ramos espinhosos. Em meio às rosas, despontava uma mão mumificada. Jacob a cobriu com folhas antes que Clara a visse.

De trás de uma saliência, um rato correu pelo pátio, e Fux foi à caça dele; já no primeiro salto, porém, ela parou com um gemido de dor.

— O que foi? — perguntou Clara.

Fux lambeu o corpo na altura das costelas.

— O Três-Dedos me chutou.

— Deixe-me ver. — Clara curvou-se sobre ela e apalpou cuidadosamente o pelo sedoso.

— Tire o pelo, Fux! — disse Jacob. — Ela entende mais de gente do que de raposas.

Fux hesitou, mas finalmente obedeceu, e Clara olhou espantada para a menina que de repente estava na sua frente — num vestido que parecia ter sido tecido sobre seu corpo pela lua vermelha.

Que espécie de mundo é este?, seu rosto perguntava quando ela olhou para Jacob. *Se o pelo pode virar pele e a pele pode virar pedra, o que resta então?* Medo. Perplexidade. E encantamento. Era possível encontrar tudo isso em seu olhar. Ela se aproximou de Fux passando as mãos nos próprios braços, como se também já sentisse o pelo despontar neles.

— Onde está Will? — perguntou Jacob.

Clara apontou para a torre ao lado do portão.

— Já está lá em cima há mais de uma hora. Ele não disse uma palavra — ela acrescentou — desde que os viu.

Ambos sabiam de quem ela falava.

Em nenhum outro lugar as rosas cresciam tão densamente como nas paredes arredondadas da torre. As pétalas eram de um vermelho tão escuro que a noite quase as tingia de preto, e o perfume pairava doce e pesado no ar frio, como se elas não sentissem o outono.

Jacob já fazia ideia do que encontraria sob o telhado da torre antes de começar a subir a estreita escada espiral. Os ramos agarravam-se em sua roupa, e várias vezes ele teve de soltar as botas de suas laçadas espinhosas, mas finalmente ele estava no lugar onde, quase duzentos anos antes, uma fada ofertara seu presente de nascimento.

A roca de fiar estava ao lado da cama estreita, que jamais fora pensada para uma princesa. O corpo que ainda dormia ali estava coberto de pétalas de rosas. O feitiço da fada não a deixara envelhecer em todos aqueles anos, mas a pele parecia pergaminho e estava quase tão amarelada quanto o vestido que a princesa usava havia dois séculos. As pérolas com as quais ele fora bordado ainda brilhavam, mas as barras de renda estavam tão marrons quanto as pétalas que cobriam a seda.

Will estava junto da única janela, como se o príncipe tivesse enfim chegado. Os passos de Jacob o fizeram se virar. A pedra agora também coloria sua testa, e os olhos de seu irmão mergulhavam em ouro. Os salteadores haviam roubado o que eles possuíam de mais precioso. Tempo.

— Não me venha com "e se ela não estiver morta..." — disse Will com um olhar para a princesa. — E isso aqui também foi um feitiço de fada. — Ele encostou na parede. — Você está melhor?

— Estou — mentiu Jacob. — E você como está?

Will não respondeu de imediato. E quando ele finalmente o fez, a voz soou tão fria e lisa quanto a nova pele.

— Sinto o meu rosto como pedra polida. A cada dia, a noite fica mais clara, e eu pude ouvir você chegando muito antes de pisar na escada. Agora não sinto apenas na pele. — Ele fez uma pausa e esfregou as têmporas. — Está dentro de mim também.

Ele andou até a cama e olhou para o corpo mumificado.

— Esqueci tudo. Você. Clara. A mim mesmo. Eu só queria cavalgar até eles.

Jacob procurou por palavras, mas não encontrou uma só.

— É isso o que está acontecendo? Diga a verdade. — Will olhou para ele. — Eu não vou só parecer um deles. Vou ser como eles, não é?

Jacob tinha mentiras na ponta da língua: "Não, imagine, Will", "Tudo vai ficar bem", mas elas não saíram de seus lábios. O olhar do irmão não deixou.

— Quer saber como eles são? — Will pegou uma pétala de rosa dos cabelos ressecados da princesa. — Eles são raivosos. A raiva brota dentro de você como uma chama. Mas eles também são pedra. Eles a sentem na terra e a escutam respirar debaixo deles.

Ele examinou as unhas negras em sua mão.

— Eles são escuridão — ele disse em voz baixa. — E calor. E a lua vermelha é o seu sol.

Jacob sentiu um arrepio quando ouviu a pedra na voz de Will.

Diga alguma coisa, Jacob. Qualquer coisa. Estava tão silencioso na escura câmara.

— Você nunca será como eles — ele disse. — Porque eu vou impedir.

— Como? — Ali estava novamente aquele olhar que de repente era mais velho do que ele. — É verdade o que você disse aos saqueadores? Você vai me levar até outra fada?

— Vou.

— Ela é tão perigosa quanto a que fez isto? — Will tocou o rosto de pergaminho da princesa. — Olhe pela janela. Há mortos pendurados nos espinhos. Você acha que eu quero que termine assim por minha causa?

Mas o olhar de Will desmentia suas palavras. *Ajude-me, Jacob*, ele dizia. *Ajude-me.*

Jacob puxou-o para longe da morta.

— A fada para a qual vou levá-lo é diferente — disse. *É mesmo, Jacob?*, ele ouviu algo sussurrar dentro de si, mas não deu atenção. Ele pôs toda a esperança que tinha na voz. E toda a confiança que o irmão queria ouvir. — Ela vai nos ajudar, Will! Eu prometo.

Ainda funcionava. A esperança vingava tão facilmente quanto a raiva no rosto de Will. Irmãos. O mais velho e o mais novo. Nada mudara.

15
Carne macia

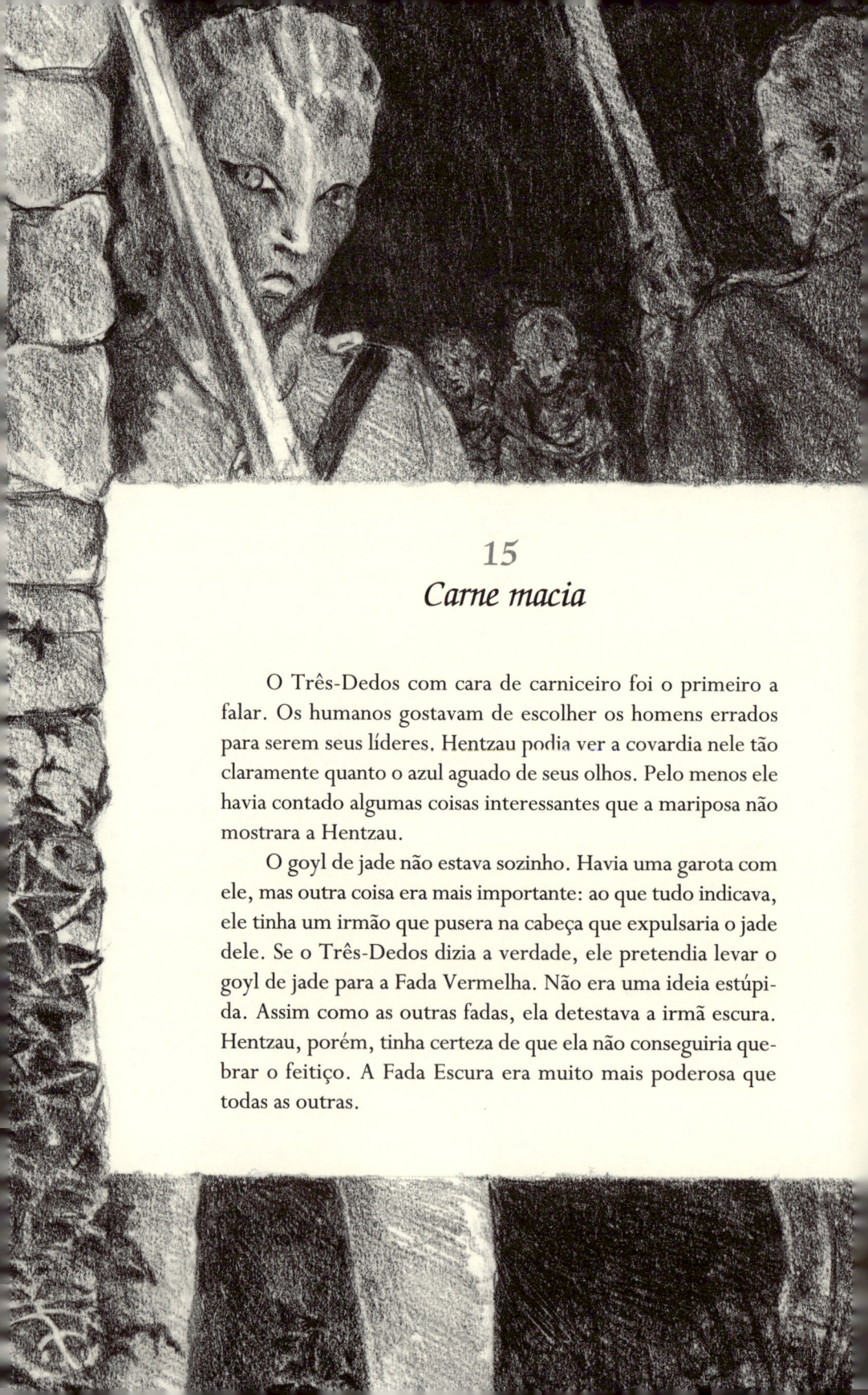

O Três-Dedos com cara de carniceiro foi o primeiro a falar. Os humanos gostavam de escolher os homens errados para serem seus líderes. Hentzau podia ver a covardia nele tão claramente quanto o azul aguado de seus olhos. Pelo menos ele havia contado algumas coisas interessantes que a mariposa não mostrara a Hentzau.

O goyl de jade não estava sozinho. Havia uma garota com ele, mas outra coisa era mais importante: ao que tudo indicava, ele tinha um irmão que pusera na cabeça que expulsaria o jade dele. Se o Três-Dedos dizia a verdade, ele pretendia levar o goyl de jade para a Fada Vermelha. Não era uma ideia estúpida. Assim como as outras fadas, ela detestava a irmã escura. Hentzau, porém, tinha certeza de que ela não conseguiria quebrar o feitiço. A Fada Escura era muito mais poderosa que todas as outras.

Jamais um goyl vira a ilha onde elas viviam, e muito menos ali pisara. A Fada Escura guardava os segredos das irmãs, mesmo tendo sido expulsa por elas, e todos sabiam que só encontrava a ilha quem elas quisessem.

— Como ele pretende encontrá-la?

— Isso ele não disse! — balbuciou o Três-Dedos.

Hentzau fez um sinal com a cabeça para a única mulher soldado que o acompanhava. Bater em carne humana não lhe dava prazer. Ele podia matá-los, mas evitava encostar neles. Nesser não tinha problemas com isso.

Seu chute atingiu em cheio o rosto do Três-Dedos, e Hentzau lançou a ela um olhar de advertência. A irmã fora morta por homens, por isso Nesser ia logo exagerando. Por um instante, ela revidou seu olhar com rebeldia, mas depois baixou a cabeça. Agora o ódio estava grudado como uma gosma na pele de todos eles.

— Ele não disse! — balbuciou o Três-Dedos. — Eu juro.

Sua carne era pálida e mole como a de um caracol. Hentzau virou-se, enojado. Estava convencido de que eles tinham dito tudo o que sabiam e de que o goyl de jade escapara apenas por causa deles.

— Fuzile-os! — ele disse, e saiu.

Os disparos soaram esquisitos no silêncio. Como algo que não pertencesse àquele mundo. Espingardas, máquinas a vapor, trens — tudo isso ainda parecia muito pouco natural a Hentzau. Estava ficando velho, era isso. A excessiva luz do sol turvara-lhe a visão, e seus ouvidos, com todo o barulho das batalhas, estavam tão ruins que Nesser sempre elevava a voz ao falar com ele. Kami'en agia como se não notasse. Ele sabia que Hentzau envelhecera a seu serviço. Já a Fada Escura trataria de que todos os outros notassem, assim que soubesse que o goyl de jade lhe escapara apenas por causa de alguns saqueadores.

Hentzau ainda o via diante de si: o rosto meio goyl, meio homem, a pele mesclada com a pedra mais sagrada que eles conheciam. Não era ele. Não podia ser. Era tão pouco autêntico quanto um daqueles amuletos de madeira que os vigaristas cobriam com folha de ouro para vender às velhinhas como ouro maciço. "Venham ver, o goyl de jade apareceu para tornar o rei invencível. Mas não cortem muito fundo, senão encontrarão carne humana." Sim, era isso. Nada além de uma nova tentativa da fada de se tornar indispensável.

Hentzau olhou para a noite que caía, e a própria escuridão se transformou em jade.

Mas e se você estiver enganado, Hentzau? E se ele for o verdadeiro? E se o destino do seu rei depender dele? E ele o havia deixado escapar.

Quando o rastreador finalmente voltou, os próprios olhos turvos de Hentzau viram que ele perdera a pista. Antes, ele o teria matado imediatamente, mas com o tempo aprendera a domar a cólera que dormia nele como em todos os goyls — ainda que nisso não fosse nem de longe tão bom quanto o rei. A única coisa que lhe restava era a referência às fadas. O que significava que mais uma vez ele teria de engolir seu orgulho e enviar um mensageiro à Fada Escura para lhe perguntar o caminho. Essa perspectiva doía mais do que a noite fria.

— Você encontrará a pista para mim! — ele disse rispidamente para o rastreador. — Assim que o dia clarear. Três cavalos e uma raposa. Não pode ser tão difícil assim!

Ele estava se perguntando quem deveria enviar à fada quando Nesser se aproximou, hesitante. Ela acabara de completar treze anos. Os goyls já eram adultos nessa idade, mas a maioria deles entrava no exército com catorze anos no mínimo. Nesser não era muito hábil com a espada, nem uma atiradora tão boa, mas compensava folgadamente essas duas fraquezas com sua coragem. Naquela idade, um goyl não conhecia o medo e se acreditava imortal, mesmo sem sangue de fada nas veias. Hentzau ainda se lembrava bem.

— Comandante?

Ele adorava o tom da reverência em sua voz jovem. Era o melhor antídoto contra a insegurança que a Fada Escura semeava nele.

— O quê?

— Sei como chegar até as fadas. Não até a ilha... mas até o vale, de onde se parte para lá.

— É mesmo? — Hentzau não deixou transparecer o quanto isso aliviava seu coração. Ele tinha um fraco pela garota e, justamente por isso, era ainda mais severo com ela. A pele de Nesser se parecia com seu jaspe marrom, mas, como em todas as mulheres goyls, era mesclada com ametista.

— Fiz parte da escolta que por vontade do rei acompanha a Fada Escura quando ela viaja. Eu estava lá quando ela cavalgou até suas irmãs pela última vez. Ela nos deixou na entrada no vale, mas...

Era bom demais para ser verdade. Ele não precisaria mendigar ajuda, e ninguém saberia que o goyl de jade lhe escapara. Hentzau cerrou os punhos. Mas manteve o rosto impassível.

— Muito bem — ele disse num tom exageradamente entediado. — Diga ao rastreador que de agora em diante você nos conduzirá. Mas ai de você se errar o caminho.

— De forma alguma, comandante. — Os olhos dourados de Nesser brilhavam de autoconfiança quando ela disparou dali.

Hentzau, porém, ficou olhando para a estrada de terra pela qual o goyl de jade escapara. Um dos saqueadores afirmara que o irmão estava ferido e que eles precisariam parar para dormir. Hentzau podia passar vários dias em claro. Ele os esperaria.

16
Nunca

    Ainda estava escuro quando Jacob decidiu partir novamente. Ele ainda precisava de muito sono, mas nem a própria Fux conseguiu convencê-lo a repousar por mais tempo, e Clara teve de admitir que estava contente por sair de perto de todos aqueles mortos adormecidos.
    Fazia uma noite clara. Negro aveludado, salpicado de estrelas. Árvores e colinas pareciam silhuetas de papel, e, ao lado deles, Will, apenas aparentemente perto. Tão familiar e tão estranho.
    Clara olhou para ele, e ele sorriu quando seus olhos se encontraram. Foi somente uma sombra do sorriso que ela conhecia. Sempre fora tão simples ganhar um sorriso dele. Will era tão amoroso. E era tão fácil amá-lo em resposta. Nunca nada fora tão fácil. Ela não queria perdê-lo. Mas o mundo ao seu redor sussurrava: *ele pertence a mim*. E eles cavalgavam cada

vez mais profundamente dentro dele — como se tivessem de encontrar seu coração para que ele libertasse Will.

Deixe-o ir.

Clara queria gritar para o rosto sombrio do mundo que se escondia atrás de um espelho.

Deixe-o ir!

Mas o mundo atrás do espelho já se lançava sobre ela. Clara pensou sentir seus dedos escuros na pele.

"O que você quer aqui?", sussurrava-lhe a noite estranha. "Que pele devo lhe dar? Quer pelos? Quer pedra?"

"Não!", ela sussurrou em resposta. "Encontrarei seu coração, e você me devolverá Will."

Ela, porém, já sentia como sua nova pele crescia. Tão macia. Macia demais. E como os dedos escuros agarravam seu próprio coração.

Ela estava com tanto medo.

17
Um guia até as fadas

Era verdade o que se dizia sobre as fadas. Ninguém as encontrava se elas não quisessem. Não fora diferente três anos antes, quando Jacob as visitara pela primeira vez — e, apesar disso, já naquela época houvera apenas um meio de achá-las.

Era preciso subornar o anão certo.

Havia muitos anões que se gabavam de negociar com as fadas e que ostentavam cheios de orgulho seus lírios no brasão da família. A maioria deles contava histórias empoeiradas de antepassados para no final admitir que o último membro da família a ver uma fada já estava morto havia mais de duzentos anos. Até que finalmente um dos anões da Corte Imperial mencionara o nome de Evenaugh Valiant.

Naquela época, a imperatriz estipulara uma fortuna em ouro como recompensa para quem lhe trouxesse um lírio do lago das fadas, pois seu perfume tinha a fama de transformar moças feias em bonitas, e o príncipe consorte havia manifestado um grande desapontamento com a aparência de sua única filha. Pouco depois ele morrera numa caçada — as más línguas diziam que a esposa havia tratado disso —, mas, como a imperatriz sempre considerara mais o gosto do marido do que o seu próprio, ela mantivera a recompensa pelo lírio, e Jacob, que então já trabalhava sem Chanute, pusera-se à procura de Evenaugh Valiant.

Não fora difícil encontrar o anão e, por uma considerável quantia de táleres de ouro, ele de fato levou Jacob até o vale onde se ocultava a ilha das fadas. Ele somente não lhe contara sobre seus guardiões — e Jacob quase pagou a visita com a própria vida. Valiant, porém, vendeu à imperatriz o lírio que viria a fazer de sua filha Amália uma beldade celebrada, e com isso tornou-se um dos fornecedores da corte.

Jacob imaginara muitas vezes acertar contas com o anão, mas quando retornara das fadas não estava com ânimo para vingança. O ouro imperial chegara a seus bolsos através de outra encomenda, e ele acabou por recalcar a lembrança de Evenaugh Valiant, assim como a da ilha onde havia sido tão feliz que quase se esquecera de si mesmo. *E daí? Que lição você tira disso, Jacob Reckless?*, ele pensou quando viu despontarem, entre sebes e campos, as primeiras casas de anões. *Que quase sempre a vingança não é uma boa ideia.* Apesar disso, seu coração batia mais forte com a possibilidade de voltar a ver o anão.

Agora nem mesmo o capuz escondia a pedra no rosto de Will, e Jacob decidiu deixá-lo para trás com Clara e Fux, enquanto ia para Terpevas, o que na língua de seus habitantes não significava outra coisa senão "Cidade dos Anões". Numa área de floresta, Fux encontrou uma caverna usada como abrigo por pastores, e Will entrou nela logo atrás de Jacob como se não pudesse mais esperar para finalmente se refugiar da luz do sol. Agora seu rosto apresentava pele humana somente no lado direito, e, para Jacob, a cada dia se tornava mais difícil encará-lo. O pior eram os olhos. Eles já se afogavam em ouro, e Jacob tinha de lutar com força sempre maior contra o medo de que já tivesse perdido a corrida contra o tempo. Às vezes, Will retribuía seu olhar como se tivesse esquecido quem era, e Jacob pensava ver o passado que compartilhavam se apagar nos olhos do irmão.

Clara não entrara com eles na caverna. Quando Jacob voltou com Fux até os cavalos, ela estava tão perdida entre as árvores que por um instante ele pensou que, nas roupas masculinas que ainda vestia, ela fosse um dos garotos órfãos sozinhos no mundo à procura de trabalho, que se encontravam por toda parte nas estradas. A relva outonal que crescia entre as árvores era da mesma cor de seus cabelos, e o outro mundo estava cada vez menos perceptível nela. A lembrança das ruas e dos edifícios onde ambos haviam crescido, das luzes e do barulho, e da menina que ela havia sido lá, tudo isso empalidecia e se distanciava. O presente rápido se tornava passado, e o futuro, de repente, usava roupas estranhas.

— Ele não tem mais muito tempo.

Ela não disse em tom de pergunta. Ela olhava para as coisas de frente, mesmo que lhe dessem medo. Jacob gostava disso nela.

— Você precisa de um médico — ela disse, quando Jacob montou a égua com o rosto contorcido pela dor. Todas as flores, folhas e raízes que Fux havia lhe mostrado não haviam debelado a inflamação no ombro e agora o ferimento lhe causava febre.

— Ela tem razão — disse Fux. — Procure um dos doutores anões. Dizem que eles são melhores do que os médicos pessoais da imperatriz.

— Sim, para quem é anão. Conosco, tudo o que querem é levar o nosso dinheiro, e depois aos próprios pacientes para a cova. Os anões não nos têm em muita alta conta — ele acrescentou quando viu o olhar indagador de Clara —, e isso vale também para os que servem à imperatriz. Nada dá a um anão mais prestígio entre seus pares do que nos surrupiar.

— Mas apesar disso você conhece um em que pode confiar? — Clara olhou para ele preocupada.

Fux deu um grunhido desdenhoso.

— Que nada! O anão que ele pretende procurar merece menos confiança do que todos os outros! — Ela rondava Clara como se buscasse uma aliada. — Pergunte como ele arranjou as cicatrizes nas costas.

— Isso foi há muito tempo.

— E daí? Por que ele teria mudado? — A irritação na voz de Fux não encobria o medo, e Clara parecia ainda mais preocupada.

— Por que pelo menos você não leva Fux com você?

Por essa proposta, a raposa aconchegou-se mais em volta de suas pernas. Ela buscava a companhia de Clara e aparecia cada vez mais para ela em sua forma humana.

Jacob virou o cavalo.

— Não. Fux fica aqui — ele disse, e Fux baixou a cabeça sem protestar. Ela sabia tão bem quanto ele que nem Clara nem Will conheciam o suficiente daquele mundo para poderem se virar sozinhos.

Quando Jacob contornou a primeira curva da estrada, ela ainda estava sentada ao lado de Clara observando-o se distanciar. Seu irmão nem ao menos perguntara para onde ele ia. Ele se escondia da luz.

18
Vozes da pedra

Will ouviu a pedra. Ele a ouviu tão claramente quanto a própria respiração. Os sons vinham das paredes da caverna, do chão irregular sob seus pés e do teto rochoso sobre sua cabeça. Vibrações às quais seu corpo respondia como se fosse feito delas. Ele não tinha mais nome, somente a nova pele fria e protetora que o envolvia, a nova força em seus músculos e a dor nos olhos quando piscavam ao sol.

Ele passou as mãos na rocha e leu sua idade nas dobras que ela apresentava. Elas lhe sussurravam o que se escondia sob a discreta superfície cinza: ágata rajada, pedra da lua branca e pálida, citrino amarelo-ouro e ônix preto. As pedras formavam imagens: cidades subterrâneas, água petrificada, luz suave se espelhando em janelas de malaquita...

— Will?

Ele se virou, e a rocha silenciou.

Havia uma mulher na entrada da caverna. Os raios de sol aderiam aos cabelos, como se ela fosse feita deles.

Clara. Seu rosto trazia a lembrança de outro mundo, onde pedra significava apenas muros e ruas mortas.

— Você está com fome? Fux caçou um coelho e me mostrou como fazer fogo.

Ela se aproximou e segurou seu rosto nas mãos, mãos tão macias, tão descoradas em comparação com o verde que se mesclava à sua pele. O toque o fez estremecer, mas ele tentou esconder. Ele a amava. Não amava?

Se ao menos sua pele não fosse tão macia e pálida.

— Está ouvindo alguma coisa? — ele perguntou.

Ela olhou para ele perplexa.

— Tudo bem — ele disse e beijou-a para esquecer que de repente sentia falta de ver ametista em sua pele. Seus lábios despertaram recordações: de uma casa, alta como uma torre, e de noites iluminadas por luz artificial, e não pelo ouro em seus olhos...

— Eu amo você, Will. — Ela sussurrou as palavras como se com elas tentasse expulsar a pedra. Mas a rocha sussurrou mais alto, e Will quis esquecer o nome com o qual ela o chamava.

Eu também amo você, ele quis dizer, pois sabia que já dissera isso muitas vezes. Mas não estava mais certo do que isso significava e se era algo que se podia sentir com um coração de pedra.

— Vai dar tudo certo — ela sussurrou e acariciou-lhe o rosto como se quisesse sentir a antiga carne sob a nova pele. — Logo Jacob estará de volta.

Jacob. Mais um nome. Havia dor junto com ele, e ele se lembrou de ter chamado esse nome no vazio muitas e muitas vezes. Quarto vazio. Dias vazios.

Jacob. Clara. Will.

Ele queria esquecer todos os nomes.

Ele afastou as mãos macias.

— Não — ele disse. — Não me toque.

O modo como ela o encarou. Dor. Amor. Censura. Ele já tinha visto tudo isso num outro rosto. Deve ter sido o de sua mãe. Dor demais. Amor demais. Ele não queria mais nada disso. Ele queria a pedra, fria e firme. Tão diferente de toda a suavidade e de toda a fraqueza, de toda a vulnerabilidade e da carne lacrimosa.

Ele se virou de costas.

— Saia — ele disse. — Saia de uma vez.

E escutou novamente a rocha. Deixou-a desenhar imagens. E tornar pedra o que nele era macio.

19
Valiant

Terpevas era a maior cidade dos anões e tinha mais de duzentos anos, caso se desse crédito a seus arquivos. Mas as placas que anunciavam cerveja, monóculos e diferentes marcas de colchões nos muros da cidade logo deixavam claro para qualquer visitante que ninguém levava os tempos modernos mais a sério do que os anões. Eles eram mal-humorados, tradicionalistas, inventivos, e possuíam postos comerciais em todos os cantos do Mundo do Espelho, embora mal chegassem à altura dos quadris da maioria de seus clientes. Além disso, tinham uma extraordinária reputação como espiões.

O trânsito diante dos portões de Terpevas era quase tão intenso quanto o do outro lado do espelho. Ali, contudo, eram ruídos de carroças, carruagens e cavaleiros que vibravam nos paralelepípedos cinzentos. A clientela vinha de todos os pontos cardeais. Para os anões, a guerra apenas revigorara os negócios.

Já fazia muito tempo que eles negociavam com os goyls, e o rei de pedra fizera de muitos deles seus fornecedores principais. Evenaugh Valiant, o anão que trazia Jacob a Terpevas, também negociava com os goyls de longa data, fiel ao seu lema de sempre se colocar do lado dos mais fortes no momento certo.

Só me resta esperar que aquele pequeno patife ainda esteja vivo!, pensou Jacob enquanto conduzia a égua entre carruagens e cabriolés em direção ao portão sul da cidade. Afinal, nesse meio-tempo, era bem possível que algum cliente ludibriado tivesse matado Valiant.

Para olhar nos olhos da sentinela ao lado do portão, pelo menos três anões precisariam subir um em cima do outro. Para os portões de suas cidades, eles contratavam apenas guardas que pudessem comprovar sua descendência dos extintos gigantes. Os gigantins, como eram chamados, eram muito procurados como guardas e mercenários, embora não tivessem reputação de muito espertos, e os anões pagavam tão bem que em troca os descendentes dos gigantes até mesmo se enfiavam dentro dos antiquados uniformes adotados pelo exército dos patrões. Nem mesmo a Cavalaria Imperial ainda usava elmos enfeitados com penas de cisne, mas os anões gostavam de decorar os tempos modernos com os uniformes do passado.

Jacob passou pelos gigantins atrás de dois goyls. Um deles tinha pele de pedra da lua; o outro, de ônix. Suas roupas não eram diferentes das que usavam os industriais humanos cujas carruagens os gigantins deixaram passar depois deles; debaixo de suas casacas longas, porém, desenhavam-se os cabos das pistolas. As golas largas eram bordadas com jade e pedra da lua, e os óculos escuros com os quais protegiam os olhos sensíveis à luz eram de um ônix tão fino como nenhum homem teria conseguido lapidar.

Os dois goyls ignoravam a aversão que sua visão provocava nos visitantes da cidade dos anões. O rosto deles dizia claramente: este mundo nos pertence. Seu rei o colhera como a uma fruta madura, e aqueles que fazia poucos anos os caçavam como animais agora enterravam seus soldados em valas comuns e mendigavam a paz.

O goyl de ônix tirou os óculos e olhou ao redor. Seu olhar afogado em ouro parecia tanto o de Will que Jacob refreou o cavalo e ficou ali parado, vendo-o desaparecer entre as casas, até que os xingamentos irritados de uma anã, de cujos minúsculos filhos ele bloqueava a passagem, o trouxeram de volta a si.

Cidade de anões, mundo encolhido.

Jacob deixou a égua num dos estábulos de aluguel que havia atrás do muro. As vias principais de Terpevas eram largas como ruas feitas para não anões, mas fora delas a cidade não conseguia esconder que seus habitantes não eram muito maiores do que crianças de seis anos, e havia becos tão estreitos pelos quais, mesmo a pé, Jacob quase não conseguia passar. As cidades do Mundo do Espelho cresciam como cogumelos, e Terpevas não era uma exceção. A fumaça das inúmeras caldeiras enegrecia janelas e muros, e o fedor que pairava no ar frio do outono não vinha das folhas murchas, ainda que a canalização dos anões fosse melhor que a da imperatriz. A cada ano que Jacob passava ali, o Mundo do Espelho parecia se esforçar mais para se igualar ao seu irmão do outro lado.

Jacob mal conseguia ler as placas, pois conhecia o alfabeto anão apenas de forma fragmentária, e logo já estava completamente perdido. Quando bateu com a cabeça pela terceira vez na mesma placa de barbeiro, abordou um mensageiro na rua e lhe perguntou onde era a casa de Evenaugh Valiant, importador e exportador de raridades de todos os tipos. O garoto mal batia em seu joelho, mas, quando Jacob pôs dois táleres de cobre em sua mão diminuta, imediatamente olhou para ele de forma mais amigável. O moleque disparou dali tão depressa que Jacob quase não conseguia acompanhá-lo pelas vielas movimentadas, mas finalmente ele parou diante da porta através da qual Jacob já se espremera três anos antes.

O nome de Valiant estava escrito em letras douradas no vidro leitoso e, como da outra vez, Jacob teve de encolher o pescoço para passar. Mas a antessala de Evenaugh Valiant tinha exatamente a altura necessária para que pessoas como ele pudessem ficar em pé ali. As paredes estavam enfeitadas com fotos dos clientes mais importantes. Agora, atrás do espelho ninguém mais se fazia retratar em pinturas, e sim em fotografias, e nada descrevia melhor o tino para os negócios de Valiant do que o retrato da imperatriz pendurado ao lado do de um oficial goyl. As molduras eram de prata da lua, e do teto pendia uma luminária ornamentada com os cabelos de vidro de um gênio, que devia ter custado uma fortuna ao anão. Tudo ali indicava que os negócios iam bem. Havia até mesmo dois secretários no lugar da anã rabugenta que recebera Jacob em sua última visita.

O menor dos dois nem sequer ergueu a cabeça quando Jacob parou diante da escrivaninha mais baixa que seus joelhos, e o segundo o mediu com o desprezo costumeiro com que os anões recebiam os humanos, até mesmo aqueles com quem negociavam.

Jacob deu-lhe o seu sorriso mais simpático.

— Suponho que o senhor Valiant ainda negocie com as fadas, é verdade?

— Sim, é verdade. Mas no momento não estamos fornecendo casulos de mariposa. — A voz dele era, como a de muitos anões, espantosamente grave. — Tente de novo daqui a três meses.

Com isso, voltou-se novamente para seus papéis. Mas sua cabeça se ergueu num sobressalto quando Jacob armou a pistola com um suave clique.

— Não estou aqui por causa de casulos de mariposa. Poderiam, por gentileza, entrar os dois ali naquele armário?

Os anões eram famosos por sua força física, mas aqueles dois eram espécimes dos mais franzinos, e certamente Valiant não os pagava para se deixarem balear por um homem qualquer que fora parar ali. Sem resistir, se deixaram trancar dentro do armário, que parecia estável o suficiente para garantir que eles não chamassem a polícia dos anões durante a conversa de Jacob com seu patrão.

O brasão ostentado na porta do escritório exibia, acima do lírio das fadas, o animal heráldico dos Valiant: um texugo sobre um monte de táleres de ouro. A porta na qual ele estava pendurado era de pau-rosa, um material conhecido não apenas por seu alto preço, mas também por seu isolamento acústico, razão pela qual Valiant nada percebera dos acontecimentos na antessala.

Ele estava sentado atrás de uma escrivaninha de proporções humanas, cujas pernas mandara encurtar, e pitava de olhos fechados um charuto que mesmo na boca de um gigantim não teria parecido pequeno. Estava barbeado, como era a última moda entre os anões. As sobrancelhas, espessas como as de todos os de sua espécie, estavam cuidadosamente aparadas; o terno, confeccionado sob medida, era de veludo, um material bastante apreciado pelos anões. Jacob teve vontade de arrancá-lo de sua poltrona de couro de lobo e jogá-lo pela janela que havia atrás dela, mas a lembrança do rosto de Will se transformando em pedra o impediu.

— Já disse que não quero ser incomodado, Banster! — O anão deu um suspiro sem abrir os olhos. — Vai me dizer que é outra vez sobre o cliente que reclamou do tritão empalhado?

Ele estava mais gordo. E mais velho. Os cabelos ruivos encaracolados já estavam grisalhos, cedo para um anão. A maioria deles chegava aos cem, e Valiant acabara de entrar na casa dos sessenta — caso não tivesse mentido também sobre sua idade.

— Não, na verdade não estou aqui por causa de um tritão empalhado — disse Jacob e apontou a pistola para a cabeça crespa. — Mas há três anos eu paguei por algo que não recebi.

Valiant quase engasgou com o charuto e olhou para Jacob aterrorizado, como quando se recebe a visita de alguém que abandonou sendo atacado por um bando de unicórnios.

— Jacob Reckless! — ele exclamou.

— Ora, veja, você ainda se lembra do meu nome.

O anão deixou o charuto cair e levou a mão para debaixo da escrivaninha, mas trouxe os dedos curtos de volta com um grito quando Jacob rasgou sua manga feita sob medida com a espada.

— Cuidado com o que vai fazer! — disse Jacob. — Você não precisa dos dois braços para me levar até as fadas. Nem das orelhas e do nariz. Mãos atrás da cabeça. Ande, vamos logo!

Valiant obedeceu, e esticou os lábios num sorriso exageradamente largo.

— Jacob! — ele disse com simpatia afetada. — O que é isso? É claro que eu sabia que você não estava morto. Afinal, sua história foi contada por toda parte. Jacob Reckless, o felizardo que foi prisioneiro da Fada Vermelha durante um ano. Qualquer mortal do sexo masculino neste país, seja anão, homem ou goyl, morre de inveja só de imaginar. E confesse: a quem você deve essa felicidade? A Evenaugh Valiant! Se eu o tivesse advertido sobre os unicórnios, elas apenas teriam transformado você num cardo ou num peixe qualquer, como outros visitantes indesejados. Mas nem mesmo a Fada Vermelha pode resistir a um homem que está prostrado indefeso sobre o próprio sangue!

Jacob não pôde deixar de se impressionar com a petulância dessa argumentação.

— Conte-me! — sussurrou Valiant por cima da escrivaninha grande demais, sem dar nenhuma mostra de sentimento de culpa. — Como ela era? E como você conseguiu escapar?

Como resposta, Jacob pegou o anão pelo colarinho feito sob medida e puxou-o de trás da escrivaninha.

— Aqui está a minha oferta: não o matarei e em troca você me guiará mais uma vez até elas. Mas dessa vez me mostrará como passar pelos unicórnios.

— O quê? — Valiant tentou se libertar, mas a pistola o fez mudar rapidamente de ideia. — São pelo menos dois dias a cavalo! — ele protestou. — Não posso simplesmente largar tudo aqui ao deus-dará!

Mas Jacob respondeu apenas empurrando-o bruscamente na direção da porta.

Na antessala, os dois secretários cochichavam dentro do armário. Valiant lançou um olhar irritado na direção deles e pegou o chapéu no cabideiro ao lado da porta.

— Meus preços subiram muito nos três últimos anos — ele disse.

— Vou deixá-lo com vida — retrucou Jacob. — Isso é mais do que você merece.

Valiant deu um sorriso penalizado para Jacob enquanto ajeitava o chapéu diante da porta envidraçada da loja. Como muitos anões, ele tinha uma paixão por cartolas pretas, que acrescentavam alguns palmos à sua altura.

— Parece muito importante para você voltar para a sua antiga amada — ele ronronou. — E o preço sobe com o desespero do cliente.

— De uma coisa você pode ter certeza — disse Jacob e encostou o cano da pistola no chapéu. — Este cliente está desesperado o suficiente para lhe dar um tiro a qualquer momento.

20
Demais

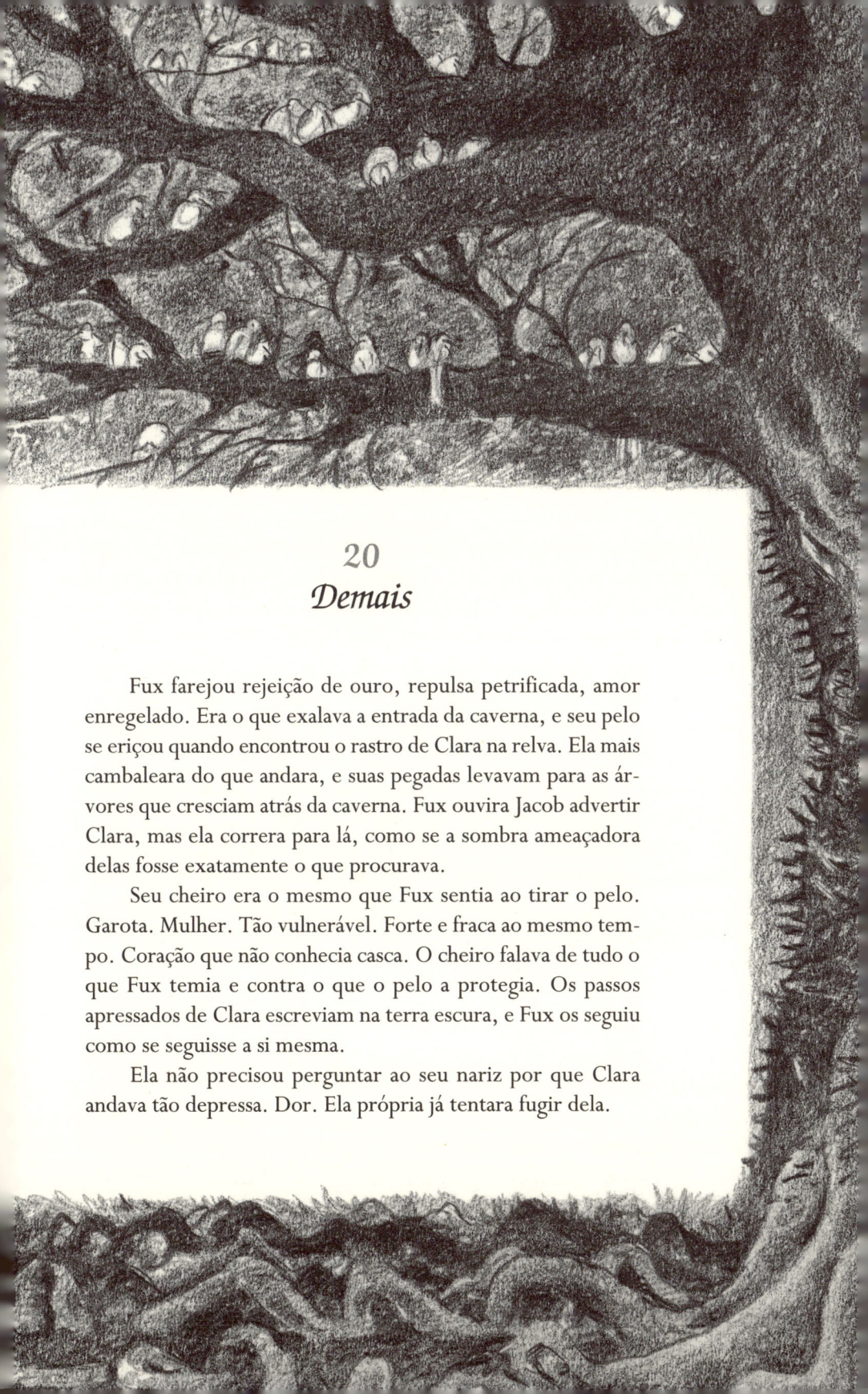

Fux farejou rejeição de ouro, repulsa petrificada, amor enregelado. Era o que exalava a entrada da caverna, e seu pelo se eriçou quando encontrou o rastro de Clara na relva. Ela mais cambaleara do que andara, e suas pegadas levavam para as árvores que cresciam atrás da caverna. Fux ouvira Jacob advertir Clara, mas ela correra para lá, como se a sombra ameaçadora delas fosse exatamente o que procurava.

Seu cheiro era o mesmo que Fux sentia ao tirar o pelo. Garota. Mulher. Tão vulnerável. Forte e fraca ao mesmo tempo. Coração que não conhecia casca. O cheiro falava de tudo o que Fux temia e contra o que o pelo a protegia. Os passos apressados de Clara escreviam na terra escura, e Fux os seguiu como se seguisse a si mesma.

Ela não precisou perguntar ao seu nariz por que Clara andava tão depressa. Dor. Ela própria já tentara fugir dela.

Os pés de avelã e as macieiras bravas eram inofensivos, mas entre eles erguiam-se troncos cuja casca era tão espinhosa quanto o ouriço de uma castanha. Árvores de pássaros. A luz do sol diluía-se num marrom sinistro ao seu redor, e Clara foi dar diretamente nas garras de madeira de uma delas.

Ela gritou por Jacob, mas ele já estava muito longe. A árvore lhe lançara as raízes em volta dos calcanhares e dos braços, e em seu corpo pousavam os serviçais de penas saídos dos galhos: pássaros de penas brancas como neve que acabou de cair, bicos pontiagudos e olhos que pareciam groselhas.

Fux passou no meio deles mostrando os dentes, surda para a gritaria furiosa, e pegou um dos pássaros no ar, antes que ele se pusesse a salvo em cima dos galhos protetores. Ela sentiu o coração dele bater disparado entre suas mandíbulas, mas não apertou, apenas segurou firme, muito firme, até que a árvore soltou Clara com um gemido raivoso.

As raízes se soltaram como serpentes de seus membros trêmulos, e quando Clara se ergueu cambaleante, elas já recuavam para baixo das folhas de outono amarronzadas, onde esperariam pela próxima vítima. Outros pássaros grasnavam do alto dos galhos, fantasmagoricamente brancos em meio à folhagem amarelada, mas Fux manteve sua presa entre os dentes e só a soltou quando Clara chegou ao seu lado, oscilante. O rosto dela estava tão branco quanto as penas grudadas no vestido, e Fux sentiu não apenas o cheiro do medo da morte que seu corpo ainda exalava, mas também a dor em seu coração como uma ferida aberta.

Elas quase não falaram no caminho de volta para a caverna. Em algum momento, Clara parou como se não pudesse mais prosseguir, mas depois finalmente avançou. Quando chegaram, ela olhou para a entrada escura, como se tivesse esperança de ver Will ali, mas então se deitou na relva ao lado dos cavalos, de costas para a caverna. Não estava ferida, exceto por alguns arranhões no pescoço e nos calcanhares, mas Fux viu que estava envergonhada — pelo coração dolorido e por ter fugido.

Fux não queria que ela fosse embora. Ela se transformou e sentou ao lado de Clara, que apoiou o rosto no vestido de pele semelhante ao pelo da raposa.

— Ele não me ama mais, Fux.

— Ele não ama mais ninguém — ela respondeu baixinho. — Porque esqueceu quem ele é.

Quem melhor do que ela sabia qual era essa sensação? Outra pele, outro eu. Mas o pelo da raposa era macio e quente. E a pedra era tão dura e fria.

Clara olhou para a caverna. Fux tirou uma pena de seus cabelos.

— Fique, por favor! — ela sussurrou. — Jacob vai ajudá-lo. Você vai ver.

Se ao menos ele já tivesse voltado.

21
Protetor do irmão

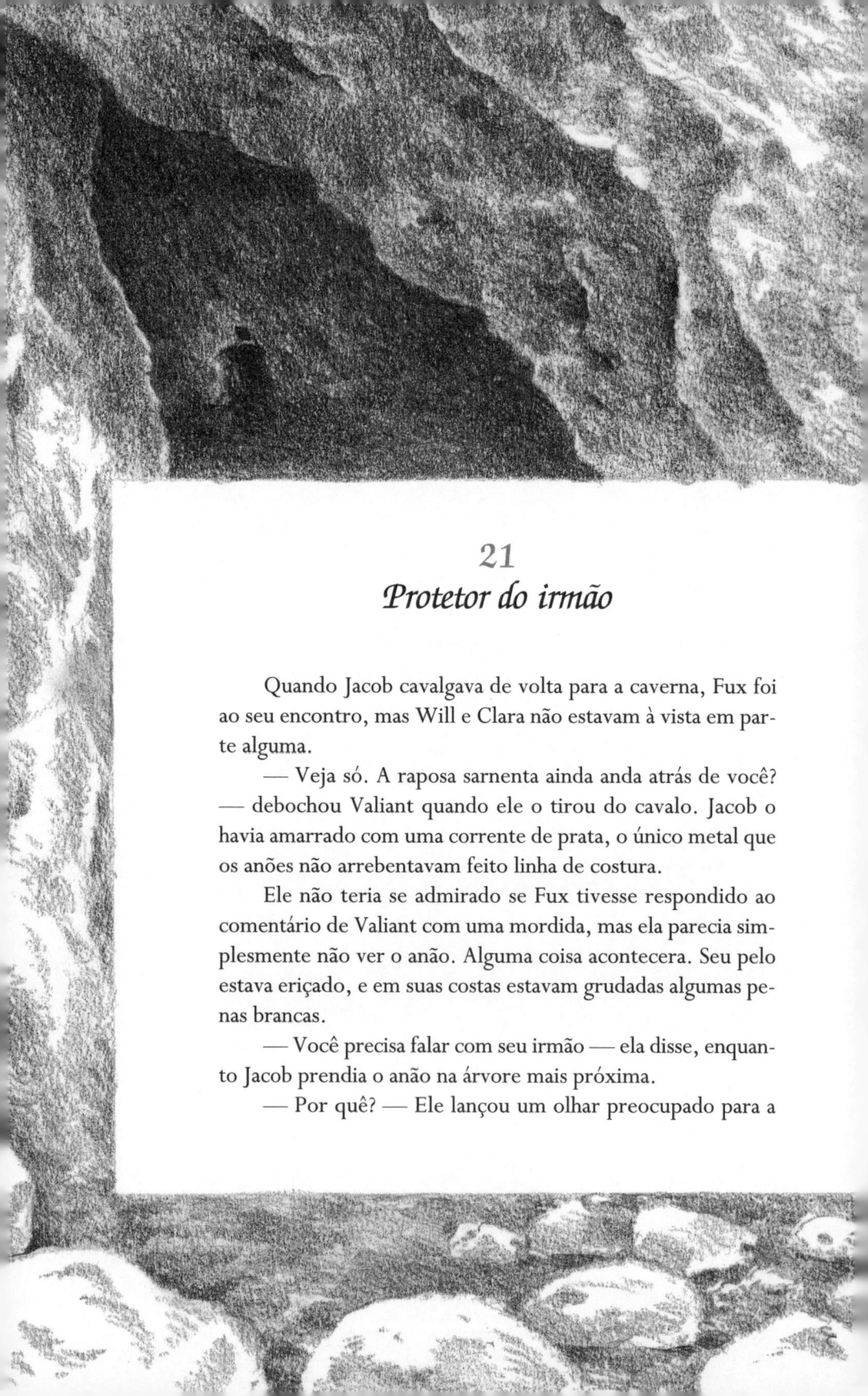

Quando Jacob cavalgava de volta para a caverna, Fux foi ao seu encontro, mas Will e Clara não estavam à vista em parte alguma.

— Veja só. A raposa sarnenta ainda anda atrás de você? — debochou Valiant quando ele o tirou do cavalo. Jacob o havia amarrado com uma corrente de prata, o único metal que os anões não arrebentavam feito linha de costura.

Ele não teria se admirado se Fux tivesse respondido ao comentário de Valiant com uma mordida, mas ela parecia simplesmente não ver o anão. Alguma coisa acontecera. Seu pelo estava eriçado, e em suas costas estavam grudadas algumas penas brancas.

— Você precisa falar com seu irmão — ela disse, enquanto Jacob prendia o anão na árvore mais próxima.

— Por quê? — Ele lançou um olhar preocupado para a

caverna na qual Will se escondia, mas Fux apontou os cavalos. Clara dormia ali, à sombra de uma faia. Sua camisa estava rasgada, e Jacob viu sangue em seu pescoço.

— Eles brigaram — disse Fux. — Ele não sabe mais o que faz.

A pedra é mais rápida que você, Jacob.

Jacob encontrou Will no canto mais escuro da caverna. Ele estava sentado no chão, as costas apoiadas na rocha.

Papéis trocados, Jacob. Antes era sempre ele quem fazia alguma coisa errada e se sentava no escuro, no quarto, na lavanderia, no escritório do pai. "Jacob onde você está?" "O que você aprontou dessa vez?" Sempre Jacob. Mas Will não. Will nunca.

Os olhos do irmão brilhavam como moedas de ouro na escuridão.

— O que você disse a Clara?

Will olhou para os dedos e cerrou o punho.

— Não me lembro mais.

— Mentira!

Will nunca fora um bom mentiroso.

— Foi você quem quis trazê-la! Ou também não se lembra mais disso? — *Pare, Jacob.* Mas seu ombro doía, e ele estava farto de cuidar do irmão.

— Lute! — disse em tom ríspido. — Você não pode sempre contar que eu faça isso por você!

Will ergueu-se lentamente. Seus movimentos estavam mais vigorosos, e já se fora o tempo em que ele mal chegava aos ombros de Jacob.

— Contar com você? — ele disse. — Parei de fazer isso já com cinco anos. Nossa mãe infelizmente precisou de mais tempo! E durante anos eu a ouvi chorar durante a noite.

Irmãos.

Era como se estivessem de volta ao apartamento. No largo corredor, com todos os quartos vazios e a mancha escura no papel de parede, no lugar onde antes ficava pendurada a foto do pai.

— Desde quando faz sentido contar com alguém que nunca está presente? — A voz de Will soltava farpas quase distraidamente, mas elas eram cortantes como estilhaços de vidro. — Você tem muito em comum com ele. Não só a aparência.

Ele fitou Jacob como se comparasse o rosto dele com o do pai.

— Não se preocupe, estou lutando — ele disse. — Afinal é a minha pele, não a sua. E eu ainda estou aqui, não é? Faça o que está dizendo. Eu irei atrás de você. Engolirei o medo.

A voz de Valiant soou do lado de fora. Ele tentava convencer Fux a libertá-lo da corrente de prata.

Will apontou para fora com a cabeça.

— Este é o guia de quem você falou?

— É. — Jacob obrigou-se a olhar para o estranho que tinha o rosto do irmão.

Will andou até a entrada da caverna, e, quando a luz do dia bateu em seu rosto, pôs a mão diante dos olhos.

— Sinto muito pelo que disse a Clara. Vou falar com ela.

Então ele saiu. E Jacob ficou em pé na escuridão sentindo os estilhaços. Como se Will tivesse quebrado o espelho.

22
Sonhos

Era noite, mas a Fada Escura não dormia. A noite era bela demais para desperdiçá-la dormindo. Mesmo assim ela via o goyl-homem. Agora ela sonhava com ele, não importava se estivesse dormindo ou acordada. Seu feitiço já transformara em jade uma boa parte de sua pele. Jade. Verde como a própria vida. Exuberância em forma de pedra. Pedra do coração, semeada pela fada sem coração. Ele ficaria tão mais bonito depois que o jade substituísse toda a pele humana e ele então se tornasse o que a cor de sua pele prometia. Futuro, decidido no passado. Tantas coisas escondidas nas dobras do tempo. Apenas os sonhos sabiam delas, e eles revelavam para ela muito mais do que a qualquer goyl ou homem, talvez porque o tempo nada significasse para quem era imortal.

Ela deveria ter ficado no castelo com as janelas emparedadas e esperado ali por notícias de Hentzau. Mas Kami'en queria voltar para as montanhas nas quais nascera, para sua fortaleza sob a terra. Ele sentia falta das profundezas, assim como ela do céu noturno ou dos lírios brancos flutuando na água — embora ainda tentasse se convencer de que bastava o amor.

A janela do trem mostrava somente seu próprio reflexo: um fantasma pálido no vidro atrás do qual o mundo passava depressa demais. Kami'en sabia que ela não se sentia bem em trens, quase tanto quanto debaixo da terra. Mandara então decorar as paredes do vagão com quadros: flores de rubi e folhas de malaquita; um céu de lápis-lazúli; colinas de jade; e, feita de pedra da lua, a superfície cintilante de um lago. Isso era amor, não era?

Os quadros de pedra eram belos, maravilhosos. Quando não suportava mais ver passarem colinas e campos como a se dissolverem em forma de tempo, ela passava os dedos sobre as flores de pedra. Mas o barulho do trem lhe doía nos ouvidos, e o metal que a envolvia causava calafrios na carne de fada.

Sim. Ele a amava. Apesar disso, se casaria com a Cara de Boneca, a princesa humana com os olhos brilhantes e a beleza que devia unicamente às fadas. Amália. O nome soava tão sem cor quanto seu rosto. Com que prazer ela a teria matado. Um pente envenenado, um vestido que lhe devorasse a carne quando ela o pusesse e girasse diante dos espelhos dourados. Como ela gritaria e arranharia a própria pele, que era muito mais macia que a de seu noivo.

A fada apoiou a testa no vidro frio. Ela não entendia de onde vinha o ciúme. Afinal, não era a primeira vez que Kami'en tinha outra mulher. Nenhum goyl amava uma vez só. Ninguém amava uma vez só... Muito menos uma fada.

A Fada Escura conhecia todas as histórias sobre as outras fadas: que quem amasse uma delas enlouquecia e que elas não tinham coração, nem pai ou mãe. Pelo menos isso era verdade. Ela pôs a mão entre os seios. Sem coração. Então de onde vinha o amor que sentia?

Lá fora as estrelas flutuavam como flores nas escuras águas de um rio. Os goyls temiam a água, embora ela tivesse criado suas cavernas e fosse tão natural ouvir seus pingos em suas cidades quanto o sopro do vento sobre a terra. Eles a temiam tanto que o mar impôs uma fronteira às conquistas de Kami'en e o fez sonhar em dar voos. Mas ela não podia lhe dar asas, nem filhos. Ela nascera da água, que ele tanto temia, e todas as palavras que tanto significavam para ele — pai, mãe, irmão, filho — nada significavam para ela.

Tampouco a Cara de Boneca podia lhe dar filhos — a não ser que ele quisesse gerar um dos monstros deformados que algumas mulheres humanas haviam tido de seus soldados. "Quantas vezes ainda vou ter que lhe dizer? Não ligo a mínima para ela, mas preciso dessa paz." Ele estava sendo sincero em cada palavra, mas ela o conhecia melhor do que ele próprio. Ele queria a paz; mais do que isso, porém, a pele humana lhe agradava, e ele cobiçava tomar uma humana por esposa. Seu interesse por tudo o que era humano passara a inquietá-la tanto quanto seu povo.

De onde vinha o amor? De que ele era feito? De pedra como ele? De água como ela?

Havia sido apenas um jogo, quando ela fora em busca dele. Um jogo com o brinquedo que seus sonhos tinham lhe mostrado. O goyl que estava quebrando o mundo em pedaços e desprezava regras tanto quanto ela. As fadas não brincavam mais com o mundo. A última que fizera isso tinha uma pele de casca de árvore. Apesar disso, ela enviara suas mariposas para procurar Kami'en. A tenda onde ela o encontrara cheirava a sangue e a morte, que ela não entendia; assim mesmo tomara tudo por um jogo. Ela lhe prometera o mundo. Sua carne na carne de seus inimigos. E percebera tarde demais o que ele semeava nela. Amor. O pior de todos os venenos.

— Você deveria usar roupas humanas com mais frequência.

Olhos de ouro. Lábios de fogo. Ele não parecia cansado, embora fizesse dias que quase não dormia.

Seu vestido farfalhou quando ela se virou para ele. Mulheres humanas se vestiam como flores, camadas de pétalas em torno de um núcleo mortal, perecível. Ela mandara confeccionar o vestido de acordo com uma das pinturas que ficavam penduradas no castelo do general morto. Por diversas vezes, Kami'en o observara tão absorto que era como se visse nele um mundo que procurava. O tecido teria dado para dez vestidos, mas ela amava o farfalhar da seda e o contato da pele com sua suavidade fresca.

— Alguma notícia de Hentzau?

Como se ela não soubesse a resposta. Mas por que as mariposas também não haviam encontrado aquele que ela buscava? Ela o via tão claramente. Como se precisasse apenas estender a mão para sentir sua pele de jade sob os dedos.

— Hentzau o encontrará. Caso ele exista.

Kami'en se pôs atrás dela. Ele duvidava do que ela via nos sonhos, mas não de sua sombra de jaspe.

Hentzau. Outro que ela teria gostado tanto de matar. Mas Kami'en lhe perdoaria sua morte ainda menos do que a de sua futura esposa. Ele teria matado o próprio irmão, como era frequente entre os goyls; Hentzau, porém, era mais próximo dele do que um irmão. Talvez até mesmo mais próximo do que ela.

Na janela do trem, seus reflexos se fundiram. Ela ainda respirava mais depressa quando ele estava ao seu lado. De onde vinha o amor?

— Esqueça o goyl de jade e seus sonhos — ele sussurrou e soltou os cabelos dela. — Eu lhe darei novos. É só me dizer quais.

Ela nunca contara a Kami'en que também o encontrara em seus sonhos. Ele não teria gostado. Nem os homens nem os goyls viviam tempo suficiente para compreender que o ontem era gerado do amanhã tanto quanto o amanhã do ontem.

23
Na armadilha

Quando alcançaram o desfiladeiro através do qual já chegara uma vez ao Vale das Fadas, Jacob teve a sensação de cavalgar para dentro de seu passado. Três anos são um longo tempo, mas tudo parecia inalterado: o riacho que corria ao longo do desfiladeiro, os pinheiros que se agarravam às encostas, o silêncio entre os rochedos... Apenas seu ombro o lembrava que desde então muita coisa acontecera. Ele doía como se o Alfaiate estivesse realmente costurando roupas com sua pele.

Valiant estava montado na frente dele na sela, e a todo instante se virava para trás.

— Oh, você parece realmente mal, Reckless! — ele observou, não pela primeira vez, sem disfarçar a alegria com o sofrimento de Jacob. — E a pobre garota já está olhando novamente para você. Ela deve estar com medo de que você caia do cavalo antes que o amado recupere a pele. Mas não se preocupe. Quando você estiver morto e o seu irmão for um goyl, eu a consolarei. Tenho um fraco por mulheres.

Era assim desde que haviam partido, mas Jacob estava atordoado demais pela febre para retrucar. Até mesmo as palavras de Will na caverna não ecoavam mais no meio da dor, e agora ele desejava os ares curativos das fadas tanto para Will como para si mesmo.

Já está chegando, Jacob. Você só precisa atravessar o desfiladeiro e estará no Vale das Fadas.

Clara ia logo atrás dele. De vez em quando, Will cavalgava ao lado dela, como se quisesse fazê-la esquecer o que acontecera na caverna, e no rosto da jovem o amor lutava com o medo. Mas ela prosseguia.

Como ele próprio. E Will.

E o anão ainda podia enganar a todos eles.

O sol já estava baixo, e entre os penhascos as sombras se alongavam. O riacho espumante ao longo do qual cavalgavam estava tão escuro como se despejasse a noite no desfiladeiro, e eles ainda não tinham avançado muito, quando, de repente, Will puxou as rédeas do cavalo.

— O que houve? — perguntou Valiant, preocupado.

— Os goyls estão por aqui. — Na voz de Will não havia a menor sombra de dúvida. — Estão bem perto.

— Os goyls? — Valiant lançou um olhar malicioso para Jacob. — Ótimo. Eu me entendo muito bem com eles.

Jacob tapou sua boca com a mão. Soltou as rédeas da égua e tentou escutar, mas o rumorejar do riacho encobria todos os outros sons.

— Façam de conta que estão dando de beber aos cavalos — ele disse baixinho.

— Também estou sentindo o cheiro deles — sussurrou Fux. — Estão na nossa frente.

— Mas por que estão se escondendo? — Will estremeceu como um animal que fareja seu bando.

Valiant o mediu como se o visse pela primeira vez — e virou-se tão bruscamente para Jacob que quase escorregou do cavalo.

— Você, hein, seu malandro! — sussurrou. — De que cor é a pedra na pele dele? Verde, certo?

— E daí?

— E daí? Você acha que sou idiota? É jade. Os goyls estão oferecendo um quilo de pedra da lua vermelha como recompensa por ele. Seu

irmão, não me faça rir! — O anão piscou para ele com ar conspirador.
— Você o encontrou, como fez com o sapatinho de cristal e a mesinha ponha-se. Mas por que diabos você quer levá-lo para as fadas?

Jade.

Jacob olhou para a pele verde-pálida de Will. Claro, ele ouvira as histórias. O rei goyl e seu guarda-costas invencível. Chanute já sonhara encontrá-lo e vendê-lo para a imperatriz. Mas ninguém podia acreditar seriamente que Will fosse o goyl de jade.

No fim do desfiladeiro já se avistava o vale enevoado. Tão perto.

— Vamos levá-lo para uma das suas fortalezas e dividir a recompensa! — sussurrou Valiant. — Se o capturarem aqui no desfiladeiro, não nos darão nada por ele!

Jacob não lhe deu atenção. Ele viu como Will tremia.

— Você conhece algum outro caminho até o vale? — ele perguntou ao anão.

— Claro — respondeu Valiant com sarcasmo. — Se você acha que seu suposto irmão tem tempo para desvios... E isso sem falar de você!

Will olhava ao redor, inquieto como um animal enjaulado.

Clara emparelhou seu cavalo com o de Jacob.

— Tire-o daqui! — ela sussurrou. — Por favor.

Mas e depois?

Alguns metros adiante, em frente aos rochedos, cresciam alguns pinheiros. Sob seus galhos estava tão escuro que o próprio Jacob, mesmo de tão curta distância, não conseguia ver o que havia embaixo deles.

Ele se curvou até Will e segurou seu braço.

— Siga-me até os pinheiros, ali — sussurrou. — E desça do cavalo quando eu descer!

Estava na hora de brincar de esconde-esconde. E de teatro também.

Will hesitou, mas finalmente tomou as rédeas e foi atrás dele.

As sombras sob os pinheiros eram negras como fuligem. Uma escuridão que, se tivessem sorte, também vedava os olhos dos goyls.

— Lembra como a gente saía no tapa quando era criança? — Jacob sussurrou para ele, antes de descer do cavalo em frente às árvores.

— Você sempre me deixava ganhar.

— É assim que faremos agora.

Fux correu para junto dele.

— O que você pretende fazer?

— Não importa o que aconteça — ele sussurrou para ela. — Quero que fique com Will. Prometa. Se não fizer isso, todos nós morreremos.

Will desceu do cavalo.

— Quero que você se defenda, Will — ele sussurrou. — E trate de fazer com que pareça verdadeiro. Temos que terminar ali debaixo das árvores.

Então, sem aviso prévio, ele deu um soco no rosto de Will.

O ouro nos olhos de Will pegou fogo imediatamente.

Will devolveu o golpe com tanta força, que Jacob caiu de joelhos. Pele de pedra, e uma fúria que ele nunca antes vira no rosto do irmão.

Talvez não seja um plano tão bom assim, Jacob.

24
Os caçadores

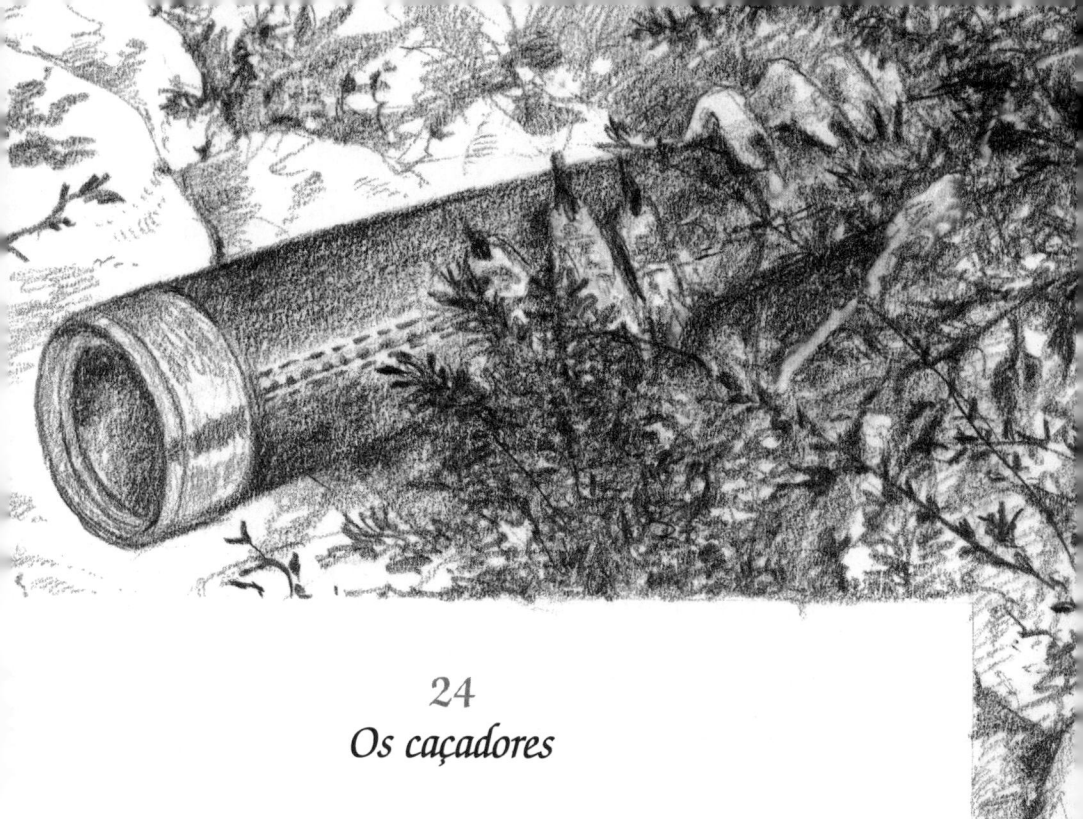

Hentzau chegara ao desfiladeiro ao raiar do dia. Os unicórnios que pastavam no vale enevoado não deixavam dúvidas de que Nesser os guiara até o lugar certo. Mas agora o sol já estava baixo, e Hentzau começava a se perguntar se no fim das contas o goyl de jade não fora morto pelo irmão, quando Nesser apontou a entrada do desfiladeiro.

Eles estavam com uma garota e uma raposa, conforme dissera o Três-Dedos, e haviam capturado um anão. Uma ideia nada idiota. A própria Nesser não sabia como passar pelos unicórnios, mas Hentzau ouvira um boato de que alguns anões conheciam o segredo. De qualquer forma, ele não tinha a menor pretensão de ser o primeiro goyl a ver a ilha enfeitiçada das fadas. Preferia atravessar uma dúzia de vezes a Floresta Negra ou dormir com as serpentes cegas que moravam sob a terra.

Não. Iria buscar o goyl de jade, antes que ele pudesse se esconder atrás dos unicórnios.

— Comandante, eles estão lutando! — Nesser soou surpresa.

O que ela esperava? A cólera vinha com a pele de pedra, assim como o ouro nos olhos, e contra quem ela se voltava em primeiro lugar? Contra o irmão. *Sim, mate-o de pancada*, pensou Hentzau, enquanto observava o goyl de jade com a luneta. *Talvez você já tenha desejado isso outras vezes, mas ele sempre foi o mais velho, o mais forte. Você vai ver: a cólera do goyl vai compensar tudo isso.*

O mais velho não lutava mal, mas não tinha nenhuma chance.

Ali. Ele caiu de joelhos. A garota correu até o goyl de jade e puxou-o de volta, mas ele se soltou, e quando seu irmão tentou se pôr em pé novamente, chutou-o no peito com tanta força que ele cambaleou para baixo dos pinheiros. Os galhos negros engoliram os dois, e Hentzau já ia ordenar que fossem até lá, quando o goyl de jade apareceu novamente.

Ele já evitava a luz do sol, e puxou o capuz sobre o rosto enquanto andava até o cavalo. A luta o deixara com as pernas um pouco bambas, mas ele logo notaria que sua nova carne sarava muito mais depressa que a antiga.

— Montar! — sussurrou Hentzau para Nesser. — Vamos capturar uma lenda.

25
A isca

Rochas. Arbustos. Onde eles estariam escondidos? *Como saber, Jacob? Você não é um goyl. Talvez devesse ter perguntado ao seu irmão...*

Ele puxou ainda mais baixo o capuz sobre o rosto e obrigou o cavalo a ir devagar. Como os goyls sabiam que eles chegariam pelo desfiladeiro? *Agora não, Jacob.*

Ele não sabia o que doía mais, o ombro ou o rosto. A carne humana era terrivelmente frágil quando se chocava com tornozelos de jade. Por alguns instantes, ele pensara realmente que Will fosse matá-lo — e ele ainda não sabia ao certo quanto da fúria que ele sentira nos golpes era do irmão e não do goyl.

Conduziu o cavalo de Will pelo riacho espumante. A água borrifava na sua pele febril. O barulho dos cascos ecoava no desfiladeiro, e Jacob já se perguntava se, na verdade, Will não teria farejado sua própria carne de pedra quando algo se moveu entre os rochedos à sua esquerda.

Agora. Ele soltou as rédeas do cavalo. Era um baio castrado, não tão rápido quanto a égua, mas perseverante, e Jacob era um ótimo cavaleiro.

Os goyls, claro, tentaram cortar seu caminho. Mas, como Jacob imaginava, seus cavalos temiam o leito pedregoso do riacho, e o baio passou por eles e disparou a galope em direção ao vale enevoado. Recordações assaltaram Jacob como se estivessem esperando por ele entre as montanhas. Felicidade e amor, medo e morte.

Os unicórnios ergueram a cabeça. Naturalmente, eles não eram brancos. Por que em seu mundo as pessoas gostavam tanto de colorir as coisas de branco? Seu pelo era castanho e cinzento, malhado de preto e de um amarelo-pálido como o sol de outono que pairava na névoa acima deles. Eles o observavam, mas nenhum deles se lançou ao ataque.

Jacob buscou seus perseguidores com o olhar.

Eram cinco. Ele reconheceu o oficial de imediato. Era o mesmo que chefiava os goyls no celeiro. A testa marrom de jaspe estava rachada, como se alguém tivesse tentado parti-la ao meio, e um dos seus olhos de ouro era turvo como o leite. Então eles realmente o haviam seguido.

Jacob se curvou sobre o pescoço do cavalo. O baio afundava os cascos na relva úmida, mas felizmente quase não ficou mais lento.

Cavalgue, Jacob. Atraia-os para longe, antes que o seu irmão queira se juntar a eles.

Os goyls se aproximaram, mas não atiraram. Claro que não. Se realmente tomavam Will pelo goyl de jade, eles o queriam vivo.

Um dos unicórnios relinchou. *Fiquem onde estão!*

Um olhar por cima do ombro. Os goyls haviam se separado. Estavam tentando cercá-lo. A ferida doía tanto que sua vista escureceu e, por um instante, Jacob pensou ter voltado no tempo e se viu novamente deitado na grama com as costas perfuradas.

Mais rápido. Ele tinha de ser mais rápido. Mas o baio respirava pesadamente, e os goyls já não usavam mais os cavalos semicegos que criavam debaixo da terra. Um deles chegou ameaçadoramente perto. Era o oficial. Jacob virou o rosto, mas o capuz escorregou de sua cabeça justamente quando ia segurá-lo.

O espanto no rosto de jaspe transformou-se em ira, a mesma ira que Jacob tinha visto no rosto do irmão.

O jogo chegara ao fim.

Onde estava Will? Ele lançou um olhar apressado para trás.

O goyl olhou na mesma direção.

O irmão galopava rumo aos unicórnios, o anão na sua frente, na sela. Ele estava no cavalo de Clara e deixara a égua para ela. Ao seu lado, a relva movia-se como se o vento a acariciasse. Fux corria quase tão depressa quanto os cavalos.

Jacob sacou a pistola, mas a mão esquerda quase não lhe obedecia mais, e com a direita ele atirava muito pior. Assim mesmo ele derrubou das celas dois goyls que iam em direção a Will. O outro, de olho leitoso, apontou para ele, o rosto de jaspe enrijecido de ódio. A ira o fez esquecer qual irmão deveria caçar, porém seu cavalo tropeçou na relva alta, e a bala não atingiu o alvo.

Mais rápido, Jacob. Ele mal conseguia se manter em cima da sela, mas Will quase chegara aos unicórnios, e Jacob rezava para que o anão dessa vez tivesse dito a verdade. *Continue!*, pensou desesperado, quando Will de repente ficou mais lento. Seu irmão refreava o cavalo, e Jacob sabia que isso não acontecia por preocupação com ele. Will virou-se na sela e olhou para os goyls da mesma maneira que havia olhado diante do celeiro abandonado.

O goyl de olho leitoso agora também havia se lembrado de quem deveria caçar. Jacob apontou para ele, mas o tiro o atingiu somente de raspão. *Maldita mão esquerda.*

E Will virou o cavalo.

Jacob gritou o seu nome.

Um dos goyls quase alcançara Will. Era uma mulher. Ametista em jaspe-escuro. Ela pegou a espada, e Clara pôs o cavalo na frente de Will, protegendo-o; mas a bala disparada por Jacob foi mais rápida. O goyl de olho leitoso deu um grito rouco quando a goyl caiu e lançou seu cavalo ainda mais furiosamente em direção ao irmão de Jacob. *Só mais alguns metros.* O anão olhava apavorado para o goyl. Mas Clara pegou as rédeas das mãos de Will, e o cavalo que ela montara tantas vezes a obedeceu quando ela o puxou na direção dos unicórnios.

A manada observara a perseguição tão indiferente quanto pessoas diante de um bando de pardais briguentos. Jacob perdeu o fôlego quando Clara cavalgou em direção a eles, mas dessa vez o anão realmente dissera a verdade. Os unicórnios deixaram Clara e Will passarem.

Somente quando os goyls foram em sua direção, eles atacaram.

O vale se encheu com o som estridente de relinchos, o barulho de cascos, corpos empinando. Jacob ouviu tiros. *Esqueça os goyls, Jacob. Siga seu irmão!*

Seu coração batia acelerado, quando ele cavalgou rumo ao bando furioso. Ele pensou sentir os unicórnios furando-lhe as costas novamente e seu próprio sangue escorrendo morno sobre a pele. *Não dessa vez, Jacob. Faça o que o anão disse:* "É muito simples. Feche os olhos, e mantenha-os fechados, ou ele os espetarão como a uma fruta madura".

Um chifre roçou sua perna. Narinas bufavam em seus ouvidos, e o ar frio cheirava a cavalo e a veado ao mesmo tempo. *Jacob, mantenha os olhos fechados.* O mar de corpos felpudos simplesmente não tinha fim. Seu braço direito estava amortecido, e ele se agarrou ao pescoço do cavalo com o esquerdo. Mas, de repente, em vez de narinas bufando, ele ouviu o vento soprando em mil folhas, a água batendo na margem e os juncos rumorejantes.

Jacob abriu os olhos, e era como antigamente.

Tudo sumira. Os goyls, os unicórnios, o vale enevoado. Em vez disso, o céu do crepúsculo espelhava-se num lago. Sobre a água, flutuavam os lírios que três anos antes o haviam trazido até ali. As folhas dos salgueiros que cresciam na margem eram tão verdes como se tivessem acabado de brotar dos galhos, e, ao longe, flutuava sobre as ondas a ilha da qual ninguém retornava. *Exceto por você, Jacob.*

O ar morno lhe acariciava a pele, e a dor no ombro abrandou como a água ao bater na margem orlada de juncos.

Desmontou do cavalo, exausto. Clara e Fux correram até ele, mas Will ficou na margem do rio olhando para a ilha. Ele parecia estar ileso, mas, quando se virou para Jacob, seu olhar era de fogo, e o jade estava apenas salpicado em alguns restos de pele humana.

— Cá estamos nós. Satisfeitos? — Valiant estava entre os salgueiros e sacudia os pelos de unicórnio das mangas.

— Quem o soltou da corrente? — Jacob tentou segurar o anão, mas Valiant esquivou-se com agilidade.

— Coração de mulher felizmente é muito mais piedoso do que a pedra que bate no seu peito — ele ronronou, enquanto Clara retribuía o olhar de Jacob envergonhada. — E daí? Está preocupado com o quê? Estamos quites! Só que os unicórnios pisotearam o meu chapéu. — O anão passou a mão com um ar acusador sobre a cabeleira descoberta. — Pelo menos você poderia me pagar pelos danos!

— Quites? Quer ver as cicatrizes nas minhas costas? — Jacob passou a mão no ombro. Sua sensação era de estar incólume, como se nunca tivesse lutado com o Alfaiate. — Dê o fora daqui — disse ao anão —, antes que eu ainda lhe dê um tiro.

— Ah, é? — Valiant lançou um olhar de deboche para a ilha, que se esfumaçava à luz do entardecer. — Tenho certeza de que o seu nome ficará melhor numa lápide do que o meu. Madame? — ele voltou-se para Clara. — A senhora deveria vir comigo. Isso aqui só pode terminar mal. Já ouviu falar em Branca de Neve, a mulher que viveu com alguns anões irmãos antes de se envolver com um antepassado da imperatriz? Ela foi miseravelmente infeliz com ele, até que fugiu no final. Com um anão!

— É mesmo? — Clara parecia não ter realmente ouvido o que o anão lhe contara.

Ela andou até a margem do lago coberto de flores, como se tivesse se esquecido de tudo, até mesmo de Will, que estava a apenas alguns passos dela. Entre os salgueiros cresciam campânulas azul-escuras como o céu noturno, e, quando ela colheu uma delas, a flor tilintou suavemente. Isso limpou todo o medo e a tristeza de seu rosto. Valiant deu um gemido irritado.

— Magia de fadas! — murmurou com desprezo. — Acho melhor eu me despedir.

— Espere! — disse Jacob. — Costumava haver um barco na margem. Onde ele está?

Porém, quando ele se virou, o anão já havia desaparecido entre as árvores, e Will olhava fixamente para seu reflexo nas ondas. Jacob jogou uma pedra na água escura, mas a imagem do irmão logo voltou, deformada e ainda mais ameaçadora.

— Eu quase matei você no desfiladeiro. — Agora a voz de Will soava tão áspera que quase não se diferenciava mais da de um goyl. — Olhe para mim! Não importa o que você espera encontrar lá, é tarde demais para mim. Desista de uma vez.

Clara olhou para ele. A magia das fadas aderia como pólen em sua pele. Somente Will parecia não sentir. "Onde está seu irmão, Jacob? Onde você o deixou?" O rumorejar das folhas soava como a voz de sua mãe.

Will recuou diante de Jacob como se estivesse com medo de bater nele novamente.

— Deixe-me ir até eles.

Atrás das árvores, o sol caía. Sua luz flutuava sobre as ondas como ouro derretido, e os lírios das fadas abriam os brotos dando boas-vindas à noite.

Jacob puxou Will para longe da água.

— Espere por mim aqui na margem — ele disse. — Não saia do lugar. Logo estarei de volta, prometo.

A raposa encostou-se em suas pernas e olhou para a ilha com o pelo eriçado.

— O que está esperando, Fux? — disse Jacob. — Vá procurar o barco.

26
A Fada Vermelha

Fux encontrou o barco. E dessa vez não pediu a Jacob que a levasse consigo. Porém, quando ele embarcou, ela o mordeu na mão com tanta força, que escorreu sangue de seu dedo.

— Para você não se esquecer de mim! — ela disse ofegante, e em seus olhos havia medo de que, como três anos antes, também dessa vez ele não voltasse.

As fadas haviam enxotado Fux depois de encontrarem Jacob mais morto do que vivo em sua floresta, e ela quase se afogara tentando segui-lo até a ilha. Apesar disso, ela esperou por ele, um ano inteiro, enquanto ele parecia ter se esquecido dela e de todo o resto. Agora ela estava ali novamente, o pelo enegrecido pela noite que caía, e ali ficou mesmo quando ele já havia remado bastante lago adentro. Clara também estava sentada entre os salgueiros, e dessa vez Will também o seguiu com o olhar.

É tarde demais para mim. Até mesmo as ondas que batiam contra o pequeno barco pareciam repetir as palavras de seu irmão. Mas quem melhor para quebrar o feitiço da Fada Escura que a irmã dela? Jacob segurou o medalhão. Colhera a pétala que havia dentro dele no dia em que deixara Miranda. Ela o tornara invisível para a fada, como se, junto com o amor, ele também tivesse deixado para trás o corpo que a amara. Nada além de uma pétala. Fora ela própria quem lhe revelara que dessa maneira ele poderia se esconder dela. Quando amavam, as fadas revelavam todos os seus segredos durante o sono. Só era preciso fazer a pergunta certa.

Felizmente, a pétala o tornava invisível também para as outras fadas. Jacob viu quatro delas na água quando escondeu o barco no juncal na margem da ilha. Os longos cabelos flutuavam nas ondas como se fossem tecidos pela própria noite, mas Miranda não estava entre elas. Uma delas olhou em sua direção, e Jacob agradeceu pelo tapete de flores que tornavam seus passos tão silenciosos quanto os de Fux. Ele vira homens serem transformados em cardos ou em peixes. As pétalas eram azuis como a campânula que Clara havia colhido, e nem mesmo o medalhão pôde proteger Jacob contra as recordações que seu perfume evocava. *Cuidado, Jacob!* Ele pressionou os dedos sobre a marca de sangue que os dentes de Fux haviam deixado em sua mão.

Logo Jacob viu a primeira das redes que as mariposas das fadas teciam entre as árvores, tendas finas como pele de libélula, dentro das quais, mesmo durante o dia, era tão escuro como se a noite tivesse sido aprisionada ali. As fadas dormiam nessas tendas apenas quando o sol estava no céu, mas Jacob não conhecia melhor lugar para esperar por Miranda.

A Fada Vermelha. Fora com esse nome que ele ouvira falar dela pela primeira vez. Um mercenário bêbado contara-lhe sobre um amigo que havia sido atraído por ela para a ilha e depois de seu retorno se afogara de saudades dela. Todos conheciam alguma história como essa sobre as fadas, embora muito poucos tivessem chegado a vê-las. Alguns acreditavam que sua ilha fosse o Reino dos Mortos, porém as fadas nada sabiam da morte e do tempo dos homens. Miranda só chamava a Fada Escura de irmã porque elas haviam emergido do lago no mesmo dia. Como iria entender o que ele sentia ao ver uma pele de pedra crescer no irmão?

A tenda entre as árvores, que durante um ano fora o começo e o fim de seu mundo, colou-se na roupa de Jacob quando ele tentou atravessar as paredes de teias. Bem lentamente os olhos de Jacob foram se acostumando à escuridão lá dentro, e ele recuou surpreso quando viu uma figura dormindo na cama de musgo na qual ele próprio se deitara tantas vezes.

Ela não havia mudado. Claro que não. Elas não envelheciam. Sua pele era mais clara que os lírios lá fora no lago, e seus cabelos eram tão escuros quanto a noite que ela amava. À noite seus olhos eram negros, mas durante o dia ficavam azuis como o céu, ou verdes como a água do lago quando espelhava as folhas dos salgueiros. Tão belos. Belos demais para olhos humanos. Intocados pelo tempo que a tudo fazia murchar. Mas em algum momento um homem desejaria sentir na pele que acariciava a mesma mortalidade que sentia na própria carne.

Jacob tirou o medalhão para fora da camisa e soltou a corrente do pescoço. Miranda se mexeu assim que ele o depositou ao lado dela, e Jacob deu um passo para trás quando ela sussurrou seu nome em sonho. Não era um sonho bom, e finalmente ela despertou num sobressalto e abriu os olhos.

Tão bela. Jacob apalpou a marca da mordida em sua mão.

— Desde quando você desperdiça as noites dormindo?

Por um instante, ela pareceu acreditar que ele era apenas o sonho que a despertara. Mas então viu o medalhão a seu lado. Ela o abriu e tirou de dentro a pétala.

— Então foi assim que você se escondeu de mim. — Jacob não sabia ao certo o que via em seu rosto. Alegria. Raiva. Amor. Ódio. Talvez um pouco de tudo. — Quem lhe contou esse segredo?

— Você mesma.

Suas mariposas voaram no rosto de Jacob quando ele deu um passo na direção dela.

— Você precisa me ajudar, Miranda.

Ela se levantou e limpou o musgo da pele.

— Eu desperdiçava as noites porque elas me lembravam demais de você. Mas isso já faz tempo. Agora é só um mau hábito.

Com as asas, as mariposas coloriram a noite de vermelho.

— Vejo que não veio sozinho — ela disse enquanto esfarelava a pétala do lírio entre os dedos. — E trouxe um goyl.

— Ele é meu irmão. — Dessa vez, as mariposas não impediram Jacob de se aproximar dela. — É um feitiço de fada, Miranda.

— Só que você veio até a fada errada.

— Você deve conhecer um meio de anulá-lo!

Ela parecia feita das sombras que a envolviam, da luz da lua e do orvalho da noite sobre as folhas. Ele fora tão feliz quando isso era tudo. Mas, sim, havia muitas outras coisas.

— Minha irmã não é mais uma de nós. — Miranda virou de costas para ele. — Ela nos traiu pelo goyl.

— Então me ajude!

Jacob estendeu-lhe a mão, mas ela a repeliu.

— Por que eu deveria?

— Eu tive que partir. Não podia ficar aqui eternamente!

— Foi o que a minha irmã também disse. Mas as fadas não partem. Nós pertencemos ao lugar que nos gerou. Você sabia disso tão bem quanto ela.

Tão bela. As lembranças teceram na escuridão uma rede em que os dois foram capturados.

— Ajude-o, Miranda. Por favor!

Ela ergueu a mão e pôs o dedo em seus lábios.

— Beije-me.

Foi como se ele beijasse a noite ou o vento. As mariposas picaram sua pele e o que ele havia deixado para trás tinha um gosto de cinzas em sua boca. Ele a largou e por um momento pensou ver seu próprio fim no olhar dela.

Lá fora uma raposa regougou. Fux sempre afirmava que sentia quando ele estava em perigo.

Miranda deu as costas para ele.

— Existe apenas um antídoto contra esse feitiço.

— E qual é?

— Você terá que matar minha irmã.

Seu coração falhou, uma batida apenas, mas ele sentiu o próprio medo como suor na pele.

A Fada Escura.

"Ela transforma os inimigos no vinho que bebe ou no ferro com o qual seu amante constrói pontes."

A voz de Chanute soava rouca de medo quando falava dela.

— Não é possível matá-la — ele disse. — Assim como a você também não.

— Para uma fada, existem coisas piores que a morte.

Por um momento, sua beleza pareceu uma flor venenosa.

— Quanto tempo ainda resta a seu irmão?

— Dois, três dias talvez.

Vozes soaram na escuridão. As outras irmãs. Jacob nunca descobrira quantas delas havia.

Miranda olhou para a cama, como se recordasse o tempo em que os dois haviam dormido juntos nela.

— Minha irmã está com o amante na fortaleza principal dos goyls.

Até lá eram mais de seis dias a cavalo.

Então seria muito tarde. Tarde demais.

Jacob não sabia ao certo o que sentia com mais intensidade: desespero ou alívio.

Miranda estendeu a mão. Uma das mariposas pousou nela.

— Você ainda pode chegar lá a tempo. — A mariposa abriu as asas. — Se eu ganhar tempo para você.

Fux começou a regougar novamente.

— Uma vez uma de nós lançou uma maldição contra uma princesa, para que ela morresse em seu aniversário de quinze anos. Mas nós a interrompemos. Com um sono profundo.

Jacob viu em sua mente o castelo silencioso, envolto em espinhos, e a figura inerte na câmara da torre.

— Ela morreu mesmo assim — ele disse. — Porque ninguém a despertou.

Miranda deu de ombros.

— Farei seu irmão dormir e você cuidará para que ele acorde. Mas apenas depois de quebrar o poder da minha irmã.

A mariposa em sua mão limpou as asas.

— A garota que está com vocês, ela é do seu irmão, não é?

Miranda passou o pé descalço no chão, e a luz da lua desenhou ali o rosto de Clara.

— É — disse Jacob, e sentiu algo que não entendeu.

— Ela o ama?

— Sim. Acho que sim.

— Muito bem. Pois do contrário ele dormirá até a morte. — Miranda limpou a imagem formada pela luz da lua. — Você já encontrou minha irmã alguma vez?

Jacob negou com a cabeça. Ele vira fotos desfocadas, um retrato desenhado num jornal — a amante demoníaca, a bruxa-fada que fazia crescer a pedra na carne humana.

— Ela é a mais bonita de nós. — Miranda acariciou o rosto de Jacob como se quisesse se lembrar do amor que sentira. — Não olhe para ela por muito tempo — ela disse baixinho. — E não importa o que ela lhe prometer, você tem que fazer exatamente o que eu disser, ou então seu irmão estará perdido.

Os apelos de Fux soaram na noite novamente. *Estou bem, Fux*, pensou Jacob. *Vai ficar tudo bem.* Ainda que ele não imaginasse como.

Ele segurou a mão de Miranda. Seis dedos, mais brancos do que as flores no lago lá fora. Ela deixou que ele a beijasse mais uma vez.

— E se o preço que eu exigir para a minha ajuda for a sua volta? — ela sussurrou. — Você aceitaria?

— E você vai exigir? — ele perguntou, embora temesse a resposta.

Ela sorriu.

— Não — ela disse. — Meu preço será pago quando você destruir a minha irmã.

27
Tão longe

Will não tirara os olhos da ilha uma só vez. Era doloroso para Clara ver o medo em seu rosto — medo de si mesmo, do que aconteceria a Jacob na ilha, mas, sobretudo, medo de que o irmão não voltasse e ele ficasse sozinho, com a pele de pedra.

Ele esquecera Clara. Assim mesmo ela foi até ele. A pedra ainda não conseguira esconder completamente aquele que ela amava, e ele estava tão só.

— Jacob voltará logo, Will. Tenho certeza.

Ele não se virou.

— Com Jacob, você nunca sabe quando ele volta — disse apenas. — Pode acreditar, sei do que estou falando.

Ali estavam os dois: o estranho da caverna, cuja frieza ela ainda sentia como veneno em sua língua, e o outro, que ficava no corredor do hospital em frente ao quarto da mãe e sorria toda vez que ela passava. Will. Ela sentia tanta falta dele.

— Ele vai voltar — ela disse. — Tenho certeza. E vai encontrar uma saída. Ele ama você. Embora não seja muito bom em demonstrar.

Mas Will sacudiu a cabeça.

— Você não conhece meu irmão — ele disse, e virou de costas para o lago, como se estivesse cansado de ver o próprio reflexo. — Jacob nunca foi capaz de admitir que algumas histórias não terminam bem. Que perdemos coisas, ou pessoas...

Ele virou o rosto para o outro lado, como se tivesse se lembrado do jade. Mas Clara não via a pedra. Ainda era o rosto que ela amava. Os lábios que ela beijara tantas vezes. Até mesmo os olhos eram os dele, apesar do ouro. Mas, quando ela lhe estendeu a mão, ele estremeceu como fizera na caverna, e a noite era como um rio negro entre os dois.

Will tirou de debaixo do sobretudo a pistola que Jacob lhe dera.

— Tome — ele disse. — Talvez você precise dela, caso Jacob não volte e amanhã eu não saiba mais como você se chama. E caso precise matá-lo, o outro com a cara de pedra, simplesmente diga a si mesma que ele teria feito o mesmo comigo.

Ela quis recuar, mas Will a segurou e pôs a pistola em sua mão. Ele passou os dedos em seus cabelos sem tocar sua pele.

— Lamento tanto! — ele sussurrou.

Então passou por ela e desapareceu entre os salgueiros. E Clara ficou ali em pé, olhando para a pistola. Até que se aproximou do lago e atirou-a na água escura.

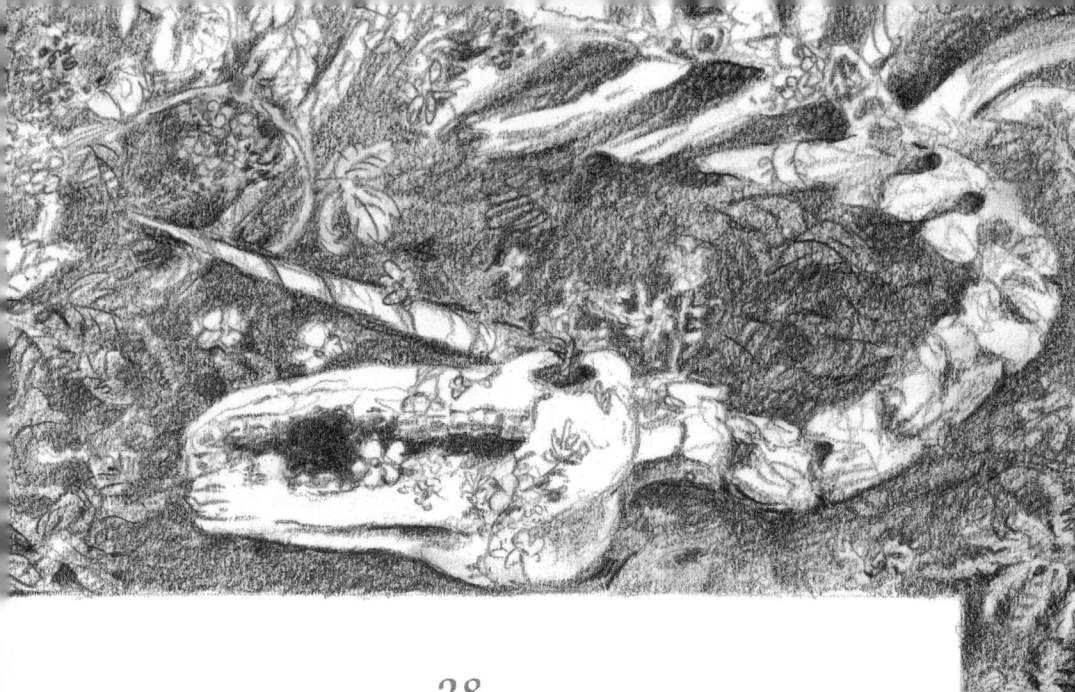

28
Apenas uma rosa

Jacob ficou a noite inteira. Mesmo com gosto de cinzas. Ele desprendeu os cabelos pretos da escuridão e buscou por consolo na pele branca de Miranda. Permitiu que seus dedos se lembrassem e sua razão esquecesse. Lá fora, as outras fadas riam e sussurravam, e Jacob se perguntou se Miranda o protegeria caso elas o descobrissem. Mas não importava. Naquela noite nada importava. Nem o amanhã. Nem o ontem. Nem irmãos ou pais. Apenas cabelos escuros e pele branca, e asas vermelhas que escreviam na noite algo que ele não entendia.

Porém, quando nem mesmo a tenda pôde mais protegê-los do dia, a mordida em sua mão começou a doer, e tudo voltou: o medo, a pedra, o ouro nos olhos de Will — e a esperança de ter encontrado um meio de acabar com tudo aquilo.

Miranda não perguntou se ele voltaria. Antes que partisse,

apenas o fez repetir o que ela lhe recomendara a respeito de sua irmã escura. Palavra por palavra.

Irmão. Irmã.

Os lírios já se fechavam com a primeira luz da manhã, e no caminho até o barco Jacob não viu nenhuma outra fada. Contudo, a espuma que flutuava ao longe no lago anunciava que logo a água engendraria mais uma delas.

Will não estava à vista quando Jacob remou até a margem, mas Clara dormia entre os salgueiros. Ao pôr o barco em terra firme, ela acordou sobressaltada. Depois da beleza das fadas, ela parecia uma flor selvagem num buquê de lírios. Mas Clara não parecia notar suas roupas sujas, nem as folhas em seus cabelos. Tudo o que Jacob viu em seu rosto foi alívio por ele estar de volta — e medo por seu irmão. "Seu irmão precisará dela. E você também." Fux sempre tinha razão. Mas infelizmente nem sempre ele lhe dava ouvidos.

Fux saiu de debaixo dos galhos dos salgueiros, o pelo eriçado, como se soubesse perfeitamente por que ele havia chegado só agora.

— Foi uma longa noite — ela disse, mal-humorada. — Eu já estava olhando os peixes para ver se algum se parecia com você.

— Mas eu voltei, certo? — ele respondeu. — E ela vai ajudá-lo.

Fux apenas olhou para ele.

— Por quê?

— Por quê? Como vou saber? Porque ela pode. Porque não gosta da irmã. Para mim, tanto faz. Contanto que ela ajude!

Fux mirou a ilha, os olhos apertados de desconfiança. Mas Clara parecia tão aliviada que todo o cansaço desapareceu de seu rosto.

— Quando? — ela perguntou.

— Logo.

Fux viu no rosto dele que isso não era tudo, mas ficou calada. Ela farejara algo que não gostaria de saber. Clara estava feliz demais para notar isso.

— Fux pensou que você tivesse se esquecido de nós.

Will apareceu entre os salgueiros, e, por um momento, Jacob teve medo de que tivesse passado tempo demais na ilha. O jade estava mais escuro e fundia-se com o verde das árvores, como se o mundo atrás do espelho tivesse finalmente feito do irmão uma parte dele. Ele havia lançado sua semente em Will, como uma vespa no corpo de uma lagarta, e olhava para Jacob com olhos dourados segurando seu irmão entre os dentes. Mas na noite anterior esse mundo dera a Jacob a mesma arma que usava contra ele: as palavras de uma fada.

— Temos que encontrar uma rosa — ele disse.

— Uma rosa? Isso é tudo? — O rosto de jade era impenetrável. Tão familiar e estranho ao mesmo tempo.

— É. Não é longe o lugar onde ela cresce. — *E depois você dormirá, meu irmão, e eu terei que encontrar a Fada Escura.*

— Você não pode fazer sumir simplesmente. — O modo como Will olhava para ele. Como se não lembrasse mais nada, e ao mesmo tempo tivesse na mente tudo o que os dois gostariam de esquecer.

— Por que não? — retrucou Jacob. — Eu sabia que ela nos ajudaria. Simplesmente faça o que eu digo, e tudo ficará bem.

Fux não tirava os olhos de Jacob.

O que você pretende, Jacob Reckless?, perguntava o seu olhar. *Você está com medo.*

E daí, Fux?, ele queria responder. *Afinal, essa já é uma sensação familiar.*

29
No coração

Eles cavalgaram pela margem do lago em direção ao norte. O tempo se afogava no perfume de flores e na luz que se quebrava sobre a água, e pela primeira vez Clara estava disposta a perdoar àquele mundo todo o medo e toda a escuridão. Tudo ficaria bem. Tudo.

Mas logo Jacob deu as costas para o lago. Os cavalos afundavam entre samambaias e amoreiras silvestres, e acima deles as folhas se coloriam de amarelo novamente. Um vento frio soprava através dos galhos, e ao longe, além dos troncos, Clara pôde ver o vale onde pastavam os unicórnios. Eles ainda estavam a uma boa distância, quase invisíveis na névoa que pairava entre as montanhas. Seus mortos, porém, estavam ali, entre as árvores.

Havia esqueletos de unicórnio por toda parte, musgo e

relva entre as costelas, teias de aranha nas cavidades dos olhos. Talvez tivessem escolhido aquele lugar porque, sob a proteção dos galhos, fosse mais fácil morrer. Ou porque na morte buscavam estar próximos daquelas por quem velavam. Ramos com flores brancas enroscavam-se nos ossos esbranquiçados como uma última saudação que as fadas enviavam a seus servidores de chifres. Um cemitério de unicórnios.

Jacob desceu do cavalo e andou até um dos esqueletos. Uma rosa vermelha crescia de seu peito.

— Will, venha aqui. — Fez sinal para que o irmão se aproximasse.

Fux correu entre as árvores e olhou na direção dos unicórnios. Ela ergueu o nariz para o vento, desconfiada.

— Está cheirando a goyl.

— E daí? Will está logo atrás de você. — Jacob virou as costas para o vale. — Pegue a rosa, Will.

Will estendeu a mão, e recolheu-a. Ele olhou para os dedos de pedra. Então olhou para Clara, como se buscasse no rosto dela o que ele havia sido.

Por favor, Will. Ela não pronunciou as palavras, mas as disse em pensamento. Repetidas vezes. *Por favor!* E, por um momento precioso, em meio a tanto florescer e tanta morte, ele olhou para ela como costumava fazer antes. *Vai ficar tudo bem.*

Ele colheu a rosa, e Clara ouviu o caule lenhoso se partir. Um dos espinhos espetou-lhe o dedo, e Will viu, surpreso, o sangue claro como âmbar que escorreu da pele petrificada. Ele deixou a rosa cair e passou a mão na testa.

— O que é isto? — ele balbuciou e olhou para o irmão. — O que você fez?

Clara estendeu a mão para ele, mas Will recuou e tropeçou num dos esqueletos. Os ossos se quebraram como madeira podre sob suas botas.

— Will, escute! — Jacob segurou seu braço. — Você precisa dormir. Eu preciso de tempo! Quando você acordar, tudo estará terminado. Eu prometo.

Mas Will o empurrou com tanta força para trás, que Jacob cambaleou em direção ao vale, para fora da proteção das árvores. Ao longe, os unicórnios ergueram a cabeça.

— Jacob! — Fux farejou o vento, preocupada. — Volte para debaixo das árvores!

Jacob olhou em torno. A cena ficou marcada para sempre na memória de Clara. O olhar que ele lançou para trás. E então o disparo.

Tão estridente. Como madeira se estilhaçando.

A bala atingiu Jacob no peito.

Fux gritou quando ele caiu na relva amarela. Will correu até ele, antes que Clara pudesse impedi-lo. Toda a cólera havia se apagado de seu rosto. Ele se lançou de joelhos ao lado do irmão e gritou seu nome, mas Jacob não se mexeu, e Clara viu que sua camisa se tingia de vermelho sobre o coração.

O goyl emergiu da névoa como um sonho ruim, ainda com a espingarda na mão. Ele mancava, e seu braço esquerdo parecia ferido. Ao lado dele vinha um de seus soldados, a garota na qual Jacob havia atirado quando ela os atacara com a espada. O uniforme que ela vestia estava molhado de seu sangue sem cor.

Fux saltou na frente deles com os dentes arreganhados, mas o goyl simplesmente a chutou com sua bota, e ela trocou de figura como se a dor tivesse lhe roubado o pelo. Chorando, se agachou na relva, e Clara pôs o braço em volta dela num gesto protetor. Will se ergueu, o rosto desfigurado pela ira. Quis pegar a espingarda que Jacob havia deixado cair, mas cambaleou como que entorpecido, e o goyl o apanhou e encostou a arma em sua cabeça.

— Quieta — ele disse, enquanto a garota apontava a pistola para Clara. — Eu tinha contas para acertar com seu irmão, mas não vamos tocar num só fio de cabelo seu.

Fux soltou-se de Clara e arrancou a pistola do cinto de Jacob, mas o goyl chutou-a da mão dela. Will ficou ali parado olhando para o irmão.

— Olhe só, Nesser — disse o goyl, e virou o rosto de Will para si num gesto rude —, é jade de verdade que está crescendo nele.

Will tentou golpeá-lo com a cabeça, mas ainda estava entorpecido, e o goyl riu.

— Isso mesmo, você já é um de nós — ele disse. — Embora ainda não queira aceitar. Amarre as mãos dele! — ordenou à garota goyl.

Andou então até Jacob e examinou-o como um caçador examinava a presa abatida.

— O rosto dele me parece conhecido — ele disse. — Como ele se chama?

Mas Will não respondeu.

— Ah, que importa — disse o goyl e se virou. — Vocês, peles-macias, parecem todos iguais. Pegue os cavalos deles — ordenou à garota e empurrou Will em direção à égua de Jacob.

— Para onde vão levá-lo? — Clara quase não reconheceu a própria voz.

O goyl não se virou.

— Esqueça-o! — ele disse, com desprezo. — Assim como ele a esquecerá.

30
Uma mortalha de corpos vermelhos

O ferimento da bala parecia muito menos grave que as feridas dilacerantes abertas pelos unicórnios. Mas daquela vez Jacob ainda respirava, e Fux sentia sua pulsação fraca.

Agora ele simplesmente não se mexia.

Tanta dor. Ela queria fincar os dentes na própria carne só para deixar de senti-la. O pelo não queria mais voltar, e ela se sentia tão perdida e vulnerável quanto uma criança abandonada.

Clara estava agachada na relva ao seu lado, os braços em volta dos joelhos. Ela não derramou uma lágrima, apenas ficou sentada ali, como se tivessem arrancado seu coração.

Foi Clara quem viu o anão primeiro. Valiant vinha caminhando em sua direção com uma cara tão inocente como se tivesse sido surpreendido colhendo cogumelos, mas apenas um anão podia ter contado aos goyls que o cemitério dos unicórnios era a única saída do reino das fadas.

Fux enxugou as lágrimas e tateou a relva úmida em busca da pistola de Jacob.

— Pare, pare! O que é isso? — gritou Valiant quando ela apontou a arma para ele, e abaixou-se depressa atrás do arbusto mais próximo. — Eu lá podia saber que eles iriam matá-lo logo de cara? Pensei que só estivessem interessados no irmão!

Clara se levantou.

— Atire, Fux! — ela disse. — Se você não atirar, eu atiro.

— Esperem! — gritou o anão. — Eles me pegaram no caminho de volta para o desfiladeiro! O que queriam que eu fizesse? Deixar que eles me matassem também?

— E agora? Por que ainda está aqui? — Fux disse em tom ríspido. — Veio pilhar um pouco de cadáveres antes de voltar para casa?

— Que ideia! Estou aqui para salvá-las! — respondeu o anão, sinceramente indignado. — Duas garotas, completamente sós e abandonadas...

— ... tão abandonadas que certamente pagaremos por sua ajuda?

O silêncio com que respondeu a Fux era revelador, e ela ergueu novamente a pistola. Se pelo menos todas aquelas lágrimas não estivessem ali. Elas faziam tudo ficar turvo, o vale enevoado, o arbusto atrás do qual Valiant estava abaixado, e o rosto imóvel de Jacob.

— Fux!

Clara pegou seu braço. Uma mariposa vermelha havia pousado no peito ferido de Jacob. Uma segunda pousou em sua testa.

Fux deixou cair a pistola.

— Saiam! — ela exclamou com a voz sufocada pelo choro. — E digam à sua dona que ele não voltará para ela nunca mais! — Ela se debruçou sobre Jacob. — Eu não disse? — sussurrou. — Não volte para as fadas! Dessa vez você vai acabar morrendo!

Outra mariposa pousou em Jacob. Mais e mais delas saíam de entre as árvores. Elas pousavam sobre o corpo imóvel de Jacob como flores que tivessem brotado em sua carne ferida.

Fux tentou espantá-las, mas eram muitas, até que ela desistiu e as viu cobrindo Jacob com suas asas, como se também na morte a Fada Vermelha quisesse reivindicá-lo para si.

Clara se ajoelhou ao lado da jovem e pôs o braço em volta dela.

— Temos que enterrá-lo.

Fux soltou-se do abraço de Clara e pressionou o rosto contra o peito de Jacob.

Enterrar.

— Eu faço isso. — O anão de fato se atrevera a chegar perto. Ele ergueu a espingarda que Will deixara cair e aplainou o cano com a mão tão facilmente como se o metal fosse massa de bolo.

— Que desperdício! — ele resmungou enquanto amoldava a espingarda na forma de uma pá. — Um quilo de pedra da lua vermelha e ninguém vai aproveitar!

O anão abriu a cova com tamanha facilidade que parecia já ter enterrado muita gente. Fux, porém, ficou sentada, os braços em volta de Clara, olhando para o rosto imóvel de Jacob. As mariposas ainda o cobriam como uma mortalha quando o anão fincou a pá na relva e limpou a terra dos dedos.

— Pronto, agora é só enterrá-lo! — ele disse, e curvou-se sobre Jacob. — Mas antes vamos ver o que ele tem nos bolsos. Por que deveríamos deixar seus lindos táleres de ouro apodrecer debaixo da terra?

O pelo de Fux voltou instantaneamente.

— Não toque nele! — ela rosnou e tentou morder os dedos ávidos de Valiant. *Morda-o, Fux. Morda o mais forte que puder. Talvez isso aplaque a sua dor.*

O anão tentou se defender com a espingarda, mas ela rasgou seu casaco e pulou em seu pescoço, até que Clara a agarrou e a puxou de volta.

— Fux, deixe-o! — ela sussurrou, e estreitou o corpo trêmulo junto a si. — Ele tem razão. Vamos precisar de dinheiro. E das armas de Jacob, da bússola... de tudo o que ele carregava.

— Para quê?

— Para encontrar Will.

Do que ela estava falando?

Atrás delas, o anão soltou uma risada incrédula.

— Will? Will não existe mais.

Mas Clara inclinou-se sobre Jacob e pôs a mão no bolso do sobretudo.

— Daremos a você tudo o que ele levava consigo se nos ajudar a encontrar o irmão dele. Ele teria desejado isso.

Ela tirou o lenço do bolso de Jacob, e dois táleres de ouro caíram em seu peito. As mariposas rodopiaram como folhas de outono levadas pelo vento.

— Estranho como eles se parecem pouco — disse Clara enquanto tirava os cabelos escuros da testa de Jacob. — Você tem irmãos, Fux?

— Três homens.

Fux esfregou a cabeça na mão sem vida de Jacob. Uma última mariposa ergueu-se de seu peito, e ela recuou. Um arrepio atravessou o corpo imóvel. Os lábios abriram-se para respirar e as mãos agarraram a relva baixa.

Jacob!

Fux pulou em cima dele tão entusiasmada que ele gemeu de dor.

Adeus, cova. Adeus, terra úmida em seu rosto. Ela o mordeu no queixo e nas bochechas. Oh, ela queria devorá-lo de amor.

— Fux, o que é isso? — ele a segurou e se sentou.

Clara recuou como que diante de um fantasma, e o anão deixou a espingarda cair. Mas Jacob olhou para a camisa ensanguentada.

— De quem é este sangue?

— É seu! — Fux aninhou-se em seu peito. Ela queria sentir seu coração bater. — O goyl atirou em você!

Jacob olhou para ela assombrado. Então desabotoou a camisa empapada de sangue: em vez de um ferimento havia apenas uma marca vermelho-pálida em forma de mariposa em sua pele.

— Você estava morto, Jacob. — Clara lutava com as palavras, como se sua língua precisasse procurar cada sílaba. — Morto.

Jacob apalpou a marca em seu peito. Ele ainda não havia voltado a si inteiramente. Fux percebeu. Mas, de repente, seus olhos começaram a procurar algo.

— Onde está Will?

Ele se levantou com custo, e então viu o anão em pé atrás dele.

Valiant lhe deu o sorriso mais largo que conseguiu.

— Essa fada realmente deve ser louca por você. Ouvi dizer que elas trazem o amado de volta da morte, mas nunca que fizessem isso com aqueles que fogem delas... — Ele sacudiu a cabeça e ergueu a espingarda deformada.

— Onde está meu irmão? — Jacob deu um passo ameaçador na direção do anão, mas Valiant saltou sobre a cova vazia e se pôs a salvo.

— Calma! Calma! — exclamou, apontando a espingarda para Jacob. — Como posso contar se me torcer o pescoço antes?

Clara pôs os dois táleres e o lenço de volta no bolso de Jacob.

— Desculpe. Eu não sabia como achar Will sem ele. — Ela escondeu o rosto em seu ombro. — Pensei que tinha perdido vocês dois.

Jacob acariciou seus cabelos num gesto consolador, mas sem perder Valiant de vista.

— Não se preocupe. Encontraremos Will. Eu prometo. Para isso não precisamos do anão.

— Ah, é? — Valiant partiu o cano encurvado da espingarda como se fosse um galho podre. — Eles vão levar seu irmão para a fortaleza real. O último homem que se infiltrou lá era um espião imperial. Eles o verteram no âmbar. Você pode vê-lo logo ao lado do portão principal. Uma visão terrível.

Jacob ergueu a pistola do chão e enfiou-a no cinto.

— Mas você, naturalmente, conhece um jeito de entrar lá.

Valiant esticou os lábios num sorriso tão orgulhoso que Fux arreganhou os dentes.

— Com certeza.

Jacob olhou para o anão como para uma cobra venenosa.

— Quanto?

Valiant endireitou a espingarda quebrada.

— A árvore de ouro que você vendeu para a imperatriz no ano passado... Dizem que ela deixou você ficar com uma muda.

Felizmente ele não percebeu o olhar que Fux lançou para Jacob. A árvore crescia atrás da ruína, entre os estábulos carbonizados, e até então o único ouro que ela fizera chover fora seu pólen fedorento. Jacob, no entanto, fez uma cara de indignação.

— Isso é um preço indecoroso.

— Adequado. — Os olhos de Valiant brilhavam, como se ele já sentisse a chuva de ouro nos ombros. — E a raposa terá que mostrar a árvore para mim, mesmo que você não saia com vida da fortaleza. Quero a sua palavra de honra.

— Palavra de honra? — Fux deu um rosnado. — Me admira que a sua língua não queime ao dizer isso!

O anão deu um sorriso de desprezo. Jacob estendeu a mão para ele.

— Dê a sua palavra, Fux — ele disse. — Não importa o que aconteça, tenho certeza de que ele terá merecido a árvore.

31
Vidro escuro

Sem os cavalos, demorou horas até que eles finalmente chegassem a uma estrada que subia do vale para as montanhas. Jacob teve de carregar Valiant nas costas para que ele não os retardasse ainda mais. No final, um camponês os levou em sua carroça até o próximo lugarejo, onde Jacob comprou dois novos cavalos e um jumento para o anão. Os cavalos não eram lá muito rápidos, mas estavam acostumados às trilhas íngremes das montanhas, e Jacob só resolveu parar quando se tornou cada vez mais frequente eles se desviarem do caminho por causa da escuridão.

Ele encontrou abrigo contra o vento frio debaixo de uma saliência rochosa, e logo Valiant roncava tão alto como se estivesse numa das camas macias pelas quais eram famosas as estalagens dos anões. Fux disparou dali para caçar, e Jacob aconselhou Clara a se deitar atrás dos cavalos, para que o calor deles a protegesse. Ele próprio fez fogo com a lenha seca que encontrou entre as pedras e tentou reencontrar um pouco da paz que sentira na ilha. Por diversas vezes, apanhou-se passando a mão sobre o sangue seco na camisa, mas conseguiu se lembrar apenas do olhar acusador de Will quando foi picado pela rosa e depois de Fux, que esfregava, aliviada, o focinho em seu rosto. Entre as duas cenas, apenas uma vaga sensação de dor e escuridão.

E seu irmão se fora.

"Quando você acordar, tudo terá terminado. Eu prometo."

Como, Jacob? Mesmo que o anão não o traísse novamente e ele encontrasse a Fada Escura na fortaleza, como faria para chegar perto dela o suficiente para tocá-la, ou mesmo para pronunciar as palavras que a irmã lhe revelara, antes que ela o matasse?

Não pense, Jacob. Faça simplesmente.

Ele ardia de impaciência, como se ter morrido e voltado da morte apenas tivesse piorado sua velha inquietação. Ele queria acordar o anão, montar os cavalos e prosseguir.

Prosseguir, Jacob. Sempre prosseguir. Como há anos você vem fazendo.

O vento soprou o fogo, e ele abotoou o sobretudo sobre a camisa ensanguentada.

— Jacob?

Clara estava atrás dele. Ela pusera uma das mantas dos cavalos nos ombros, e ele reparou que seus cabelos haviam crescido.

— Como você está? — Em sua voz ainda soava o assombro por ele estar vivo.

— Bem — ele respondeu. — Quer sentir o meu pulso para se convencer?

Ela teve de sorrir, mas a preocupação em seu olhar permaneceu.

Acima deles, uma coruja piou. No Mundo do Espelho, elas eram consideradas a alma de bruxas mortas. Clara ajoelhou-se ao lado de Jacob na terra fria e pôs as mãos sobre as chamas para aquecê-las.

— Você ainda acha que pode ajudar Will?

Ela parecia terrivelmente cansada.

— Acho — ele disse. — Mas, acredite em mim, mais do que isso você não vai querer saber. Só serviria para lhe dar medo.

Ela olhou para ele. Seus olhos eram azuis como os do irmão. Antes de se afogarem em ouro.

— Foi por isso que você não disse a Will por que ele deveria colher a rosa? — O vento soprou algumas fagulhas em seus cabelos. — Acho que seu irmão sabe mais sobre medo do que você.

Palavras. Nada mais. Mas elas faziam da noite um vidro escuro, e Jacob via o próprio rosto nele.

— Eu sei por que você está aqui — disse Clara com uma voz ausente, como se não estivesse falando sobre ele, mas sobre si mesma. — Este mundo não lhe dá nem a metade do medo que o outro. Aqui você não tem nada nem ninguém para perder, a não ser Fux, e ela se preocupa mais com você do que você com ela. Tudo o que realmente lhe dá medo ficou atrás do espelho. Mas Will veio para cá e trouxe tudo com ele.

Ela se ergueu novamente e sacudiu a terra dos joelhos.

— Seja o que for que você tenha em mente, por favor, tome cuidado. Você não fará nada de bom se deixando matar por Will. Mas caso exista alguma outra maneira, qualquer outra, de fazê-lo voltar a ser o que era, então me deixe ajudar! Mesmo achando que isso vai me dar medo. Você não é o único que não quer perdê-lo. E para que mais ainda estou aqui?

Ela o deixou sozinho antes que ele pudesse responder. E Jacob desejou que ela não estivesse ali. E estava contente por ela estar. E viu o próprio rosto no vidro escuro da noite. Sem distorções. Como ela o pintara.

32
O rio

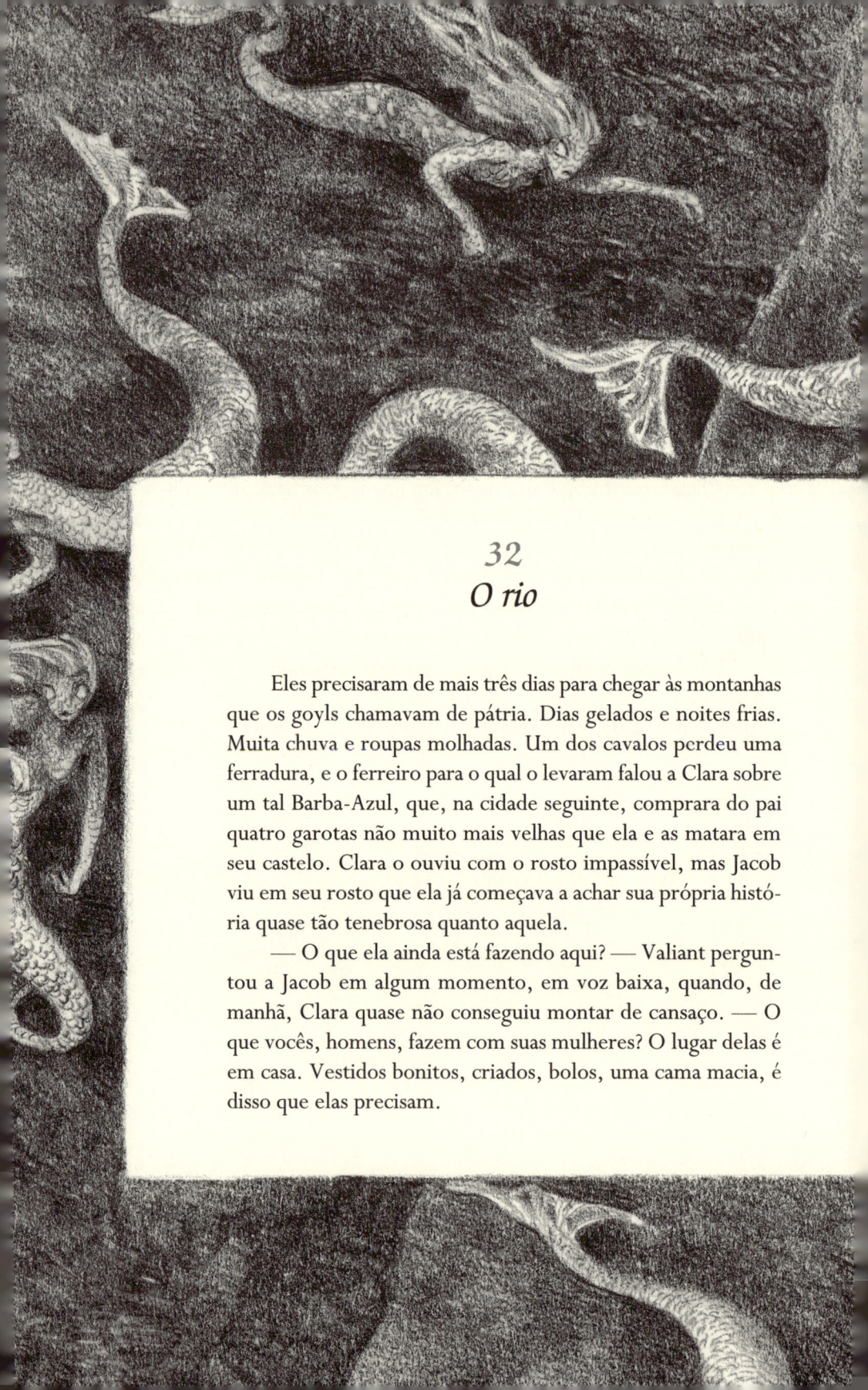

Eles precisaram de mais três dias para chegar às montanhas que os goyls chamavam de pátria. Dias gelados e noites frias. Muita chuva e roupas molhadas. Um dos cavalos perdeu uma ferradura, e o ferreiro para o qual o levaram falou a Clara sobre um tal Barba-Azul, que, na cidade seguinte, comprara do pai quatro garotas não muito mais velhas que ela e as matara em seu castelo. Clara o ouviu com o rosto impassível, mas Jacob viu em seu rosto que ela já começava a achar sua própria história quase tão tenebrosa quanto aquela.

— O que ela ainda está fazendo aqui? — Valiant perguntou a Jacob em algum momento, em voz baixa, quando, de manhã, Clara quase não conseguiu montar de cansaço. — O que vocês, homens, fazem com suas mulheres? O lugar delas é em casa. Vestidos bonitos, criados, bolos, uma cama macia, é disso que elas precisam.

— E um ano como marido e na porta um cadeado dourado do qual só você tem a chave? — retrucou Jacob.

— Por que não? — retrucou Valiant, e deu para Clara seu sorriso mais encantador.

As noites eram tão frias que eles pernoitavam em estalagens. Clara dividia a cama com Fux, enquanto Jacob se deitava ao lado do anão, que logo começava a roncar; mas não era só por isso que seu sono não era tranquilo. Em seus sonhos, ele era sufocado por mariposas vermelhas, e, quando acordava banhado em suor, sentia na boca o gosto do próprio sangue.

No final do terceiro dia, eles avistaram as torres que os goyls erguiam ao longo de suas fronteiras. Eram esguias como colunas de estalagmites, com paredes ásperas e janelas de ônix. Mas Valiant conhecia um caminho pelas montanhas que as contornava.

Antes, naquela região, os goyls eram apenas uma das muitas criaturas apavorantes que eram mencionadas junto com ogros e lobos-pardos. Seu pior crime, contudo, sempre fora serem parecidos demais com os humanos. Eles eram os gêmeos enjeitados. Os primos de pedra, que habitavam a escuridão. Em nenhum lugar eles haviam sido caçados mais impiedosamente que nas montanhas das quais provinham, e agora pagavam na mesma moeda. Em parte alguma sua dominação era tão implacável quanto em sua antiga terra natal.

Valiant evitava as estradas que as tropas goyls utilizavam, mas mesmo assim eles topavam com suas patrulhas de vez em quando. O anão apresentava Jacob e Clara como clientes ricos que pretendiam construir uma fábrica de vidros perto da fortaleza real. Jacob comprara para Clara uma saia bordada com fios de ouro, como usavam as mulheres ricas da região, e trocara as próprias roupas pelas de um comerciante. Ele quase não se reconhecia no sobretudo com gola de pele e nas calças cinza de tecido macio; para Clara, era ainda mais custoso cavalgar com a saia rodada, mas todas as vezes que Valiant contou sua história os goyls os deixaram passar.

Num fim de tarde que cheirava a neve, eles chegaram ao rio em cuja margem oposta ficava a fortaleza real. A barca partia de Blenheim, um lugar que os goyls já haviam tomado anos antes. Quase a metade das casas tinha as janelas emparedadas. Os invasores tinham coberto muitas das ruas para se proteger da luz do sol, e, atrás dos muros do porto, havia um acesso vigiado que mostrava que Blenheim agora também tinha um bairro subterrâneo.

Enquanto Fux desaparecia entre as casas à caça de uma das galinhas magras que ciscavam pelas ruas de pedra, Jacob desceu até o rio com Valiant e Clara. O céu do crepúsculo espelhava-se na água turva, e na outra margem a parede da montanha estava recortada por um portão quadrado.

— Aquela é a entrada para a fortaleza? — Jacob perguntou ao anão.

Valiant negou com a cabeça.

— Não. Ali é apenas uma das cidades que eles construíram debaixo da terra. A fortaleza fica ainda mais longe dentro da terra e é tão profunda que nela você desaprende a respirar.

Jacob amarrou os cavalos e desceu com Clara até o cais. O barqueiro já lançava a âncora. Ele era quase tão feio quanto os trolls do norte, que se assustavam com o próprio reflexo no espelho, e seu barco já conhecera dias melhores. O casco achatado era revestido de metal, e o barqueiro torceu os lábios num sorriso de desprezo quando Jacob lhe perguntou se ele poderia transportá-los para a outra margem antes do anoitecer.

— Este rio não é um lugar muito hospitaleiro quando escurece. E a partir de amanhã a travessia estará proibida por três dias, pois o goyl coroado deixará seu ninho para fazer sua viagem de núpcias. — Ele falava muito alto, como se quisesse ser ouvido na outra margem.

— Núpcias?

Jacob lançou a Valiant um olhar indagador, mas o anão deu de ombros.

— Onde é que vocês estavam? — zombou o barqueiro. — A imperatriz de vocês está comprando a paz dos caras de pedra dando sua filha ao rei. Amanhã eles sairão de seus buracos como enxames de cupins, e o goyl viajará com seu trem infernal até Vena, para depois levar com ele para debaixo da terra a mais bela de todas as princesas.

— A fada viaja com ele? — perguntou Jacob.

Valiant lançou um olhar curioso para ele.

Mas o barqueiro apenas deu de ombros.

— Com certeza. O goyl não vai a lugar algum sem ela. Tampouco ao seu casamento com outra.

E mais uma vez o seu tempo está escoando, Jacob.

Ele pôs a mão no bolso.

— Você transportou um oficial goyl hoje?

— O quê? — O barqueiro pôs a mão no ouvido.

— Um oficial goyl. Pele de jaspe, quase cego de um olho. Levava um prisioneiro.

O barqueiro olhou para a sentinela goyl que montava guarda atrás do muro, mas ela estava bem longe e de costas para eles.

— Por quê? Você é um dos que ainda os caçam? — O barqueiro ainda falava tão alto que Jacob lançou um olhar preocupado para a sentinela. — Esse prisioneiro poderia lhe render muito dinheiro. Ele tinha uma cor que eu ainda não tinha visto em nenhum deles.

Jacob teve vontade de lhe esbofetear o rosto feio. Em vez disso, tirou um táler de ouro do lenço.

— Você receberá um segundo na outra margem se pudermos atravessar ainda hoje.

O barqueiro lançou um olhar cobiçoso para o táler, mas Valiant segurou a mão de Jacob e puxou-o de lado.

— Vamos esperar até amanhã! — ele sussurrou. — Já está escuro e esse rio fervilha de loreleis.

Lorelei. Jacob olhou para a água que corria vagarosamente. Sua avó cantara uma canção com esse nome algumas vezes. A letra o aterrorizava quando criança, mas as histórias que se contavam naquele mundo sobre as loreleis eram ainda mais tenebrosas.

Não importava.

Ele não tinha escolha.

— Não se preocupe! — O barqueiro estendeu a mão calejada. — Não as acordaremos!

Mas, quando Jacob lhe entregou a moeda, ele tirou tampões de cera de seus bolsos largos e os pôs nas mãos de Valiant. Eles pareciam já ter estado em muitos ouvidos.

— Apenas por precaução. Nunca se sabe.

— A senhorita não precisa! — ele deu um sorriso malicioso para Clara. — As loreleis se interessam apenas pelos homens.

Fux só apareceu quando eles já levavam os cavalos para dentro da barca. Ela limpou algumas penas de seu pelo antes de pular dentro da barca achatada. Os cavalos estavam inquietos, mas o barqueiro enfiou o táler de ouro no bolso e soltou as amarras.

A barca zarpou rio afora. Atrás deles, as casas e o cais de Blenheim se dissolviam no crepúsculo e o único ruído no silêncio da tarde era o da água batendo no casco da embarcação. A outra margem se aproximava lentamente, e o barqueiro deu uma piscadela confiante para Jacob. Os cavalos, porém, continuavam inquietos, e Fux estava com as orelhas em pé.

Uma voz vibrou sobre o rio.

Primeiro, soou como a voz de um pássaro, mas depois cada vez mais como a de uma mulher. A voz vinha de uma rocha que se erguia da água à esquerda deles, tão cinzenta como se o anoitecer tivesse se transformado em pedra. Uma figura se desprendeu da rocha e deslizou na água. Uma segunda a seguiu. Elas vinham de toda parte.

Valiant praguejou.

— O que foi que eu disse? — ele ralhou com Jacob. — Mais rápido! — ele gritou para o barqueiro. — Vamos!

Mas o barqueiro parecia não ouvir o anão nem as vozes, que soavam cada vez mais atraentes sobre a água. Somente quando Jacob pôs a mão em seu ombro, ele se virou.

— Surdo! O picareta é quase tão surdo quanto um peixe morto! — gritou Valiant e enfiou depressa os tampões nos ouvidos.

O barqueiro apenas deu de ombros e agarrou-se firmemente ao remo; enquanto enfiava a cera nos ouvidos, Jacob se perguntou quantas vezes ele já teria voltado sem seus passageiros.

Os cavalos estavam assustados. Ele quase não conseguia acalmá-los. A última luz do dia se apagou, e a outra margem se aproximava muito devagar, como se a água os levasse de volta. Clara ficou junto de Jacob, e Fux se pôs na frente dela de modo protetor, embora estivesse arrepiada de medo. As vozes ficaram tão altas que Jacob as ouvia mesmo com os tampões. Elas o atraíam para a água. Clara puxou-o para longe da amurada, mas o canto penetrava em sua pele como um doce veneno. Cabeças emergiam das ondas. Cabelos flutuavam como juncos sobre a água, e, quando Clara o soltou por um instante para pôr as mãos nos próprios ouvidos doloridos, Jacob sentiu os dedos pegarem os tampões protetores e os jogarem na água.

O canto das vozes era como uma faca lambuzada de mel cortando seu cérebro. Clara tentou segurá-lo novamente quando ele cambaleou para a borda da embarcação, mas Jacob a empurrou de volta tão bruscamente que ela se chocou com o barqueiro.

Onde elas estavam? Ele se curvou sobre a água. Primeiro, viu apenas o próprio reflexo, mas de repente ele se fundiu com um rosto. Parecia o rosto de uma mulher, mas não tinha nariz, os olhos eram prateados e os dentes caninos avançavam para fora dos lábios verde-claros. Braços esticaram-se para fora da água e dedos agarraram o pulso de Jacob. Outra mão pegou seus cabelos. A água invadia a borda da embarcação. Elas estavam por todo lado, estendiam os braços para ele, seus corpos metade peixe para fora da água, os dentes arreganhados. Loreleis. Muito pior que a canção. A realidade era sempre pior.

Fux enterrou fundo as presas num dos braços escamosos que prendiam Jacob, mas outras loreleis o puxavam por cima da amurada. Ele estava perdendo o apoio, por mais que relutasse, mas de repente ouviu um tiro e uma das ninfas afundou na água turva com a testa perfurada.

Clara estava atrás de Jacob e segurava a pistola que ele havia lhe dado. Ela ainda atirou em outra lorelei, que tentava arrastar o anão para a água. O barqueiro matou duas delas com uma faca, e o próprio Jacob atirou em outra, que lançava suas garras no pelo de Fux. Quando viram os corpos sem vida ficarem para trás, as loreleis recuaram e foram em busca de seus pares.

Ao ver a cena, Clara deixou cair a pistola. Ela escondeu o rosto nas mãos, enquanto Jacob e Valiant prendiam os cavalos assustados e o barqueiro conduzia para o cais o barco que chacoalhava com violência. As loreleis gritavam furiosas, mas suas vozes soavam apenas como um bando de gaivotas resmungonas.

Elas ainda gritavam quando eles levaram os cavalos para a margem. E o barqueiro se pôs no caminho de Jacob e estendeu a mão. Valiant empurrou-o tão brutalmente para trás que ele quase caiu no rio.

— Ah, sobre o segundo táler você ouviu muito bem! — ele esbravejou. — Que tal nos devolver o primeiro, ou você sempre cobra dos seus passageiros para fornecer o jantar às loreleis?

— O que vocês querem? Eu transportei vocês! — retrucou o barqueiro. — Foi a maldita fada que as soltou aqui. Por causa disso devo arruinar meu negócio? E trato é trato.

— Tudo bem — disse Jacob e tirou mais um táler do bolso. Eles estavam na outra margem, e era o que importava. — Existe mais alguma coisa com a qual é bom tomar cuidado?

Valiant seguiu o táler com os olhos até ele sumir no bolso sujo do barqueiro.

— O anão contou a vocês sobre os dragões? Eles são vermelhos como o fogo que cospem e, quando voam sobre as montanhas, as encostas ainda ficam queimando durante dias.

— Ah, sim, eu também já ouvi essa história. — Valiant lançou um olhar expressivo para Jacob. — Mas vocês também não contam para as crianças que nessa margem ainda vivem gigantes? Tolices supersticiosas. — O anão baixou a voz. — Quer saber onde existem dragões de verdade?

O barqueiro curvou-se curioso sobre o anão.

— Eu vi com os meus próprios olhos! — gritou Valiant em seu ouvido meio surdo. — No seu ninho de ossos, só duas milhas rio acima, só que ele era verde e, em sua boca horrenda, estava pendurada uma perna, tão fina quanto a sua! Pelo diabo e todos os seus cabelos dourados, eu disse a mim mesmo, eu não gostaria de morar em Blenheim, e se um dia a besta-fera resolver voar rio abaixo?

Os olhos do barqueiro ficaram tão grandes como os táleres de ouro de Jacob.

— Duas milhas? — ele olhou preocupado rio acima.

— Sim, talvez até mesmo um pouco menos! — disse Valiant, e pôs os sujos tampões de ouvido na mão do barqueiro. — Divirta-se na volta.

— Não foi uma história ruim! — Jacob sussurrou para o anão quando ele montava no jumento. — Mas o que você me diria se eu lhe contasse que uma vez eu realmente vi um dragão?

— Que você é um mentiroso — respondeu o anão com voz baixa.

Atrás deles, as loreleis ainda gritavam, e Jacob notou os arranhões causados por suas garras no braço de Clara quando a ajudou a montar. Mas nos olhos dela não havia censura por ele ter insistido na travessia.

— O que você está farejando? — ele perguntou para Fux.

— Goyl — ela respondeu. — Nada além de goyl. Como se até o ar fosse feito deles.

33
Tanto sono

Will queria dormir. Somente dormir, e esquecer o sangue, todo o sangue no peito de Jacob. Ele não sentia mais o tempo, assim como não sentia a própria pele ou o próprio coração. Seu irmão, morto. Essa era a única imagem que encontrava caminho em seus sonhos. E as vozes. Uma delas rouca. A outra como água. Água fria, escura.

— Abra os olhos — ela dizia, mas ele não conseguia.

Ele só conseguia dormir.

Embora isso significasse ver todo o sangue.

Uma mão lhe acariciou o rosto. Não era de pedra, mas suave e fria.

— Acorde, Will.

Mas ele só queria acordar quando tivesse voltado ao outro mundo, onde o sangue no peito de Jacob fosse um sonho, assim como a pele de jade e o estranho que se movia dentro dele.

— Ele esteve com Vossa Irmã Vermelha.

A voz do assassino. Will queria arranhar com suas novas garras a pele de jaspe marrom e vê-lo jazer ali imóvel, como Jacob. Mas o sono o mantinha prisioneiro e imobilizava seus membros melhor que qualquer grilhão.

— Quando? — Cólera. Will a sentia como gelo em cada palavra. — Por que você não o impediu?

— Como? Não me revelastes como passar pelos unicórnios! — Ódio. Como o fogo contra o gelo. — Sois mais poderosa que vossa irmã. Simplesmente anulai o que ela fez com ele.

— É uma magia de espinho! Ninguém pode anulá-la. Vi que ele estava com uma garota. Onde ela está?

— Não tive ordem de trazê-la.

A garota. Como ela era? Ele não se lembrava. O sangue lavara o rosto dela de sua memória.

— Traga-a até mim! A vida de seu rei depende disso.

Will sentiu novamente os dedos em seu rosto. Tão suaves e frios.

— Um escudo de jade. Da carne de seus inimigos — A voz acariciava sua pele. — Meus sonhos não mentem jamais.

34
Água de cotovias

Por algum tempo Valiant foi na frente, bastante resoluto. Mas quando as encostas em torno foram ficando cada vez mais bruscas e a estrada que eles acompanhavam pelo rio se perdeu em pedregulhos e arbustos espinhosos, ele puxou as rédeas do jumento e olhou ao redor indeciso.

— O quê? — perguntou Jacob, e emparelhou seu cavalo com o jumento. — Não me diga que já está perdido.

— A última vez que estive aqui foi em plena luz do dia! — respondeu o anão, irritado. — Como quer que eu encontre uma entrada escondida se está mais escuro do que na traseira de um gigante? Deve ser bem perto daqui!

Jacob desceu do cavalo e pôs a lanterna na mão dele.

— Tome! — ele disse. — Encontre-a. E se possível ainda esta noite.

Pasmo, o anão fez o facho de luz tatear pela escuridão.
— O que é isto? Um feitiço de fada?
— Algo parecido — respondeu Jacob.
— Eu poderia jurar que é ali embaixo. — Valiant iluminou uma encosta abaixo deles que à esquerda ia dar num matagal.

Fux observou-o desconfiada quando ele se pôs a andar naquela direção.

— Vá com ele — disse Jacob. — Senão ele ainda é capaz de se perder.

Ela não se mostrou entusiasmada com a tarefa, mas acabou disparando atrás do anão.

Clara desmontou do cavalo e amarrou-o na árvore mais próxima. Os fios de ouro de sua saia brilhavam ainda mais à luz da lua. Jacob arrancou algumas folhas de um carvalho e deu a ela.

— Esfregue-as nas mãos e depois passe nos bordados.

Sob seus dedos, os fios perderam o brilho, como se ela tivesse lavado o ouro do tecido azul.

— Fio élfico — disse Jacob. — Lindíssimo. Mas os goyls a veriam a milhas de distância.

Clara passou a mão nos cabelos loiros denunciadores, como se quisesse lhes mudar a cor como fizera com o vestido.

— Você quer entrar sozinho na fortaleza.
— Quero.
— Você estaria morto agora se estivesse sozinho no rio! Deixe-me ir com você. Por favor.

Jacob negou.

— É perigoso demais. Will estará perdido se algo lhe acontecer. Logo ele vai precisar mais de você do que de mim.

— Como assim? — Estava tão frio que seu hálito saía branco de seus lábios.

— Você é que terá que acordá-lo.
— Acordá-lo?

Demorou alguns instantes até ela compreender.

— A rosa... — ela sussurrou

E o príncipe debruçou-se sobre ela e despertou-a com um beijo.

Acima deles, as foices das duas luas estavam tão finas no céu preto como se tivessem emagrecido durante a noite.

— Por que você acha que posso acordá-lo? Seu irmão não me ama mais! — Ela se esforçava para esconder a dor em sua voz.

Jacob tirou o sobretudo que o fazia parecer um comerciante rico. Os únicos homens na fortaleza eram escravos e certamente não usavam gola de pele.

— Mas você o ama. Isso deve bastar.

Clara ficou em silêncio.

— E se não? — ela enfim disse. — E se não bastar?

Ele não precisou responder. Ambos se lembravam do castelo e dos mortos sob as folhas.

— Quanto tempo levou até Will perguntar se você queria sair com ele? — Jacob vestiu seu sobretudo velho.

A lembrança apagou o medo do rosto dela.

— Duas semanas. Pensei que ele nunca fosse perguntar. Nós nos víamos todos os dias no hospital quando ele ia visitar a mãe de vocês.

— Duas semanas? Isso é rápido para o Will. — Atrás deles ouviu-se um farfalhar, e Jacob pegou a pistola, mas era apenas um texugo procurando seu caminho através dos arbustos. — Aonde ele levou você?

— Ao café do hospital. Não foi um lugar especialmente romântico. — Ela sorriu. — Ele me contou sobre um cão atropelado que tinha encontrado. No nosso encontro seguinte, ele o levou.

Jacob apanhou-se sentindo inveja de Will pela expressão no rosto dela.

— Vamos procurar água — ele disse, e desamarrou os cavalos.

Ao lado da lagoa que encontraram, havia uma carroça abandonada. As rodas estavam afundadas na lama da margem e uma garça havia construído seu ninho no compartimento de carga apodrecido. Os cavalos mergulharam as narinas na água, sedentos, e o jumento de Valiant afundou as patas até os joelhos; quando Clara ia beber, porém, Jacob puxou-a de volta.

— Tritões — ele disse. — A carroça provavelmente pertenceu a alguma jovem camponesa. É muito comum eles raptarem uma noiva humana. E já devem estar esperando por presas nessa área há algum tempo.

Jacob pensou ouvir o gênio aquático suspirar quando Clara se afastou da lagoa. Os tritões eram bastante repugnantes, mas não devoravam suas vítimas como as loreleis. Eles arrastavam as garotas para cavernas onde elas pudessem respirar, alimentavam-nas e lhes davam presentes. Conchas, pérolas do rio, joias de afogados... Jacob trabalhara por algum tempo para os desesperados pais das moças raptadas. Ele trouxera três delas de volta à luz do dia, pobres criaturas transtornadas, que nunca retornavam completamente das cavernas escuras nas quais tiveram de suportar, entre pérolas e espinhas de peixes, os beijos viscosos de um tritão apaixonado. Uma vez, os pais negaram-se a pagar, porque não haviam reconhecido a filha.

Jacob deixou os cavalos bebendo e se pôs em busca do riacho que formava a lagoa. Ele não demorou a encontrá-lo, um regato estreito, que escorria de uma fenda rochosa perto dali. Jacob pescou as folhas murchas da superfície, e Clara encheu as mãos com a água gelada. Ela tinha um gosto fresco e terroso, e Jacob só viu os pássaros depois que ele e Clara haviam bebido. Duas cotovias mortas, coladas uma na outra, presas entre as pedras úmidas. Ele cuspiu e ergueu Clara com um puxão.

— O que foi? — ela perguntou, assustada.

Sua pele cheirava a outono e vento. *Não, Jacob.* Mas já era tarde demais. Ela não recuou quando ele a puxou para junto de si. Ele acariciou seus cabelos, beijou sua boca e sentiu seu coração bater tão forte quanto o dele próprio. O minúsculo coração das cotovias arrebentava de exaltação, daí o nome: água de cotovias. Acima de qualquer suspeita, fresca e límpida, mas bastava um gole e já se estava perdido. *Solte-a, Jacob.* Ele, porém, continuou a beijá-la, enquanto ela sussurrava não o nome de Will mas o seu.

— Jacob!

Mulher ou raposa. Por um momento, Fux parecia ser as duas. Mas foi a raposa que o mordeu, tão forte que ele soltou Clara, embora tudo nele quisesse continuar a segurá-la.

Clara cambaleou para trás e passou a mão na boca, como se pudesse limpar os beijos.

— Ora, vejam só! — Valiant apontou a lanterna para Jacob e deu um sorriso sujo. — Quer dizer então que esquecemos seu irmão?

Fux olhou para ele como se ele a tivesse chutado. Humana e animal, raposa e mulher. Ela sempre parecia as duas coisas ao mesmo tempo, mas era totalmente raposa quando correu para o riacho e viu os pássaros sem vida.

— Desde quando você é tão estúpido para beber água de cotovias?

— Droga. Estava escuro, Fux. — O coração ainda batia acelerado.

— Água de cotovias? — Clara ajeitou o cabelo com as mãos trêmulas sem olhar para ele.

— Isso mesmo. É horrível. — Valiant deu-lhe um sorriso exageradamente condoído. — O sujeito cai em cima da garota mais feia que existe quando bebe dessa água. Com os anões, quase não funciona. Mas infelizmente — ele acrescentou com um olhar malicioso na direção de Jacob — quem estava aqui era ele, e não eu.

— Quanto dura o efeito? — Quase não se ouvia a voz de Clara.

— Alguns dizem que ele passa após o primeiro surto. Mas há quem diga que dura meses. E as bruxas — Valiant deu um sorriso insinuante para Jacob —, as bruxas até mesmo acreditam que a água apenas traz à tona o que já existia.

— Você parece saber tudo sobre água de cotovias. Por acaso você a engarrafa e vende por aí? — Jacob ralhou com o anão.

O anão balançou a cabeça, inconformado.

— Infelizmente ela não se conserva. E o efeito é imprevisível demais. Uma pena. Pode imaginar os negócios que daria para fazer com ela?

Jacob sentiu o olhar de Clara, mas ela virou a cabeça quando ele o retribuiu. Ele ainda sentia o toque da pele dela em seus dedos.

Pare com isso, Jacob.

— Vocês encontraram a entrada? — ele perguntou para Fux.

— Encontramos. — Ela deu as costas para ele. — Ela tem cheiro de morte.

— Ah, que nada. — Valiant fez um gesto de desdém. — É um túnel natural, que vai dar numa das estradas subterrâneas dos goyls. A maioria deles agora é vigiada, mas este é bastante seguro.

— Bastante seguro? — Jacob imaginou sentir as cicatrizes nas costas. — E como você sabe dele?

Valiant revirou os olhos, indignado com tanta desconfiança.

— O rei dos goyls proibiu a venda de algumas pedras semipreciosas que são muito procuradas. Mas, felizmente, alguns de seus súditos se interessam por um negócio saudável tanto quanto eu.

— Escutem o que estou dizendo: o túnel tem cheiro de morte. — A voz de Fux soou ainda mais rouca do que o habitual.

— Vocês também podem muito bem tentar pela entrada principal!

— disse Valiant em tom de deboche. — Talvez Jacob Reckless venha a ser o único homem a pisar na fortaleza real dos goyls sem ser jogado no âmbar.

Clara escondeu as mãos nas costas, como se assim pudesse esquecer quem elas haviam tocado.

Jacob evitou olhar para ela. Ele recarregou a pistola e tirou alguns objetos do alforje: a luneta, a latinha de rapé, o frasco de vidro verde e a faca de Chanute. Depois, encheu os bolsos com munição.

Fux estava sentada debaixo dos arbustos. Ela se retraiu quando ele começou a andar em sua direção, como no dia em que ele a encontrara na armadilha.

— Tomem cuidado com as patrulhas dos goyls — ele disse. — É melhor vocês se esconderem entre os rochedos. Se até amanhã à noite eu não estiver de volta, leve-a para a ruína.

Ela. Ele nem mais se atrevia a dizer seu nome.

— Eu não quero ficar aqui.

— Por favor, Fux.

— Você não vai voltar. Dessa vez não.

Ela arreganhou os dentes, mas não o mordeu. Suas mordidas sempre deixavam transparecer amor.

— Reckless. — Impaciente, o anão o cutucou nas costas com o cabo da espingarda. — Pensei que estivesse com pressa.

Ele havia transformado a espingarda de Will numa arma bizarra. Havia boatos de que nas mãos dos anões o metal até mesmo lançava raízes.

Jacob se ergueu.

Clara ainda estava no riacho. Ela se virou de costas quando ele andou em sua direção, mas Jacob arrastou-a consigo. Para longe do anão. Para longe de Fux e de sua raiva.

— Olhe para mim.

Ela quis se soltar, mas ele a segurou com firmeza, embora isso fizesse seu coração bater mais forte novamente.

— Não significa nada, Clara. Absolutamente nada!

Os olhos dela estavam fechados de vergonha.

— Você ama Will, está ouvindo? Se esquecer isso, não poderemos ajudá-lo. Ninguém poderá ajudá-lo.

Ela concordou com a cabeça, mas Jacob viu em seu olhar a mesma loucura que ele próprio ainda sentia. *Quanto dura o efeito?*

— Você queria saber os meus planos. — Ele segurou as mãos dela. — Vou encontrar a Fada Escura e obrigá-la a dar a Will sua pele de volta.

Ele viu o pavor em seus olhos e pôs o dedo em seus lábios advertindo-a.

— Não conte nada a Fux — ele sussurrou —, senão ela virá atrás de mim. Mas lhe juro: eu encontrarei a fada. Você acordará Will. E tudo vai ficar bem.

Ele queria abraçá-la. Tanto como nunca quisera nada antes.

Jacob não se virou quando seguiu Valiant na noite. E Fux não foi atrás dele.

35
No seio da terra

Fux tinha razão. A caverna para a qual Valiant levou Jacob cheirava a morte, e não era preciso ter o olfato apurado de uma raposa para sentir. Um olhar, e Jacob já adivinhou quem morava ali.

O chão estava coberto de ossos. Os ogros viviam entre os restos de suas refeições, e não se alimentavam apenas de carne humana. Apreciavam também a carne de goyls e de anões. Entre os ossos, havia objetos que tornavam as vítimas visíveis: um relógio de bolso, a manga esfarrapada de um vestido, um sapato de criança — perturbadoramente pequeno —, um caderno com sangue seco nas páginas. Por um momento, Jacob quis dar meia-volta para advertir Clara, mas Valiant puxou-o para adiante.

— Não se preocupe — ele sussurrou. — Os goyls já mataram todos os ogros desta região. Mas felizmente não encontraram este túnel.

A fenda na parede da caverna por onde ele desapareceu era mais do que suficiente para um anão, mas Jacob teve de se espremer para passar. O túnel atrás dela era tão baixo que nos primeiros metros Jacob não pôde se erguer totalmente; e logo descia traiçoeiramente íngreme para o fundo da terra. Ele respirava com dificuldade na estreita galeria e ficou bastante aliviado quando finalmente chegaram a uma das estradas subterrâneas que ligavam as fortalezas dos goyls umas às outras. Larga como uma estrada de humanos, ela tinha um calçamento de pedras fosforescentes, que com o brilho da lanterna emitiam uma luz suave. Jacob pensou ouvir máquinas e um zumbido que lembrava vespas sobre um campo de frutas podres.

— O que é isto? — ele perguntou ao anão com voz baixa.

— Insetos que tratam o esgoto para os goyls. Suas cidades cheiram muito melhor do que as nossas. — Valiant tirou um lápis do paletó. — Abaixe-se! Hora de fazer a sua marca de escravo! P de Prussan — ele murmurou, enquanto desenhava na testa de Jacob a letra goyl. — Este é o nome do seu dono, caso lhe perguntem. Prussan é um mercador com o qual faço negócios. Aliás, seus escravos são muito mais limpos do que você e com toda a certeza não usam um cinto com armas. É melhor você dá-lo para mim.

— Não, obrigado — sussurrou Jacob, e abotoou o sobretudo por cima do cinto. — Não quero ter que depender de você se me pararem.

A próxima estrada a que chegaram era larga como as alamedas da capital do império, mas não era cercada de árvores, e sim de paredes rochosas; quando Valiant correu sobre elas o facho da lanterna, rostos assomaram da escuridão. Jacob sempre pensou ser apenas uma lenda que os goyls homenageavam seus heróis construindo os muros das fortalezas com a cabeça deles. Mas, pelo visto, como toda lenda, a história tinha um fundo sinistro de verdade. Centenas de mortos olhavam para eles do alto. Milhares. Cabeça com cabeça, como pedras grotescas. Como acontecia com todos os goyls, a morte não lhes alterava o rosto, e os olhos apagados haviam sido substituídos por topázio imperial.

Valiant não ficou muito tempo na alameda dos mortos. No lugar dela, utilizava túneis que serpenteavam, estreitos como estradas de montanha, mais e mais fundo debaixo da terra. Com frequência cada vez maior, Jacob via luz no fim de túneis laterais, ou sentia o barulho de motores como uma vibração na pele. Algumas vezes, o ruído de cascos ou de rodas de carroças ecoou em sua direção, mas, felizmente, ao longo das estradas sempre havia cavernas escuras onde eles podiam se esconder em selvas de estalagmites ou atrás de cortinas de pedra calcária.

Por toda parte, ouvia-se o gotejar da água, constante e inesgotável, e ao redor deles, na escuridão, se escondiam as maravilhas que ela moldara ao longo de milênios: cascatas espumosas de calcário branco jorrando das paredes como água congelada, florestas de folhas de arenito no teto acima deles e flores de cristal que desabrochavam na escuridão. Em muitas cavernas, quase não havia sinal dos goyls além de uma trilha que atravessava a selva de pedras em linha reta ou alguns túneis com entradas quadradas nas paredes rochosas. Algumas delas exibiam painéis de pedras e mosaicos que pareciam provir de tempos mais antigos — ruínas entre as colunas que a pedra deixara crescer.

Jacob tinha a impressão de que já vagavam havia dias naquele mundo subterrâneo, quando diante deles se abriu uma caverna em cujo fundo havia um lago cintilante. Nas paredes cresciam plantas que não precisavam de sol, e sobre a água estendia-se uma ponte que parecia infindável e não era muito mais do que um arco de pedra reforçado por ferro. Cada passo sobre ela ecoava denunciadoramente alto na ampla caverna e espantava bandos de morcegos pendurados no teto.

Eles já haviam atravessado metade da ponte quando Valiant parou tão repentinamente que Jacob tropeçou nele. O morto que bloqueava o caminho não era um goyl, e sim um homem. Em sua testa estava tatuado o símbolo do rei, e no peito e na garganta havia marcas de mordidas.

— Um dos prisioneiros de guerra que eles usam como escravos. — Valiant olhou preocupado para o teto da caverna, e Jacob sacou a pistola.

— O que o matou?

O anão correu o facho da lanterna pelas estalactites.

— Os vigias — ele sussurrou. — Eles os criam como cães de guarda para os túneis e estradas externas. Eles só se mexem quando farejam algo que não cheira a goyl. Mas eu nunca tive problemas com eles nessa rota!

Valiant reprimiu um palavrão quando o facho da lanterna encontrou uma série de buracos preocupantemente grandes entre as estalactites.

Um crocitar ecoou no silêncio. Agudo como um grito de advertência.

— Corra! — O anão pulou por cima do morto e arrastou Jacob consigo.

De repente, o ar estava preenchido com a vibração de asas de couro. Os vigias dos goyls disparavam como aves de rapina de entre as estalactites: criaturas pálidas, semelhantes a homens, com asas que terminavam em garras afiadas. Seus olhos eram de um branco leitoso como os dos cegos, mas aparentemente seus ouvidos indicavam-lhes o caminho de forma confiável. Jacob abateu dois deles em pleno voo, e Valiant atingiu um cujas asas já se agarravam às costas do companheiro; acima deles, contudo, três outros já saíam dos buracos. Um deles tentou arrancar a pistola de Jacob. Ele bateu com a cabeça em seu rosto pálido e decepou uma de suas asas com a espada. A criatura soltou um grito tão estridente que Jacob temeu que fosse atrair mais uma dúzia deles; felizmente, nem todos os buracos pareciam habitados.

Os vigias eram agressores desajeitados, mas no fim da ponte um deles conseguiu derrubar o anão. Ele já arreganhava os dentes sobre a garganta de Valiant quando Jacob golpeou-o entre as asas. De perto, seu rosto parecia o de um embrião humano. O próprio corpo tinha algo de infantil, e Jacob se sentiu muito mal, como se nunca houvesse matado antes.

Eles se puseram a salvo no próximo túnel, com mordidas nos ombros e braços, mas nenhuma delas era muito profunda, e Valiant estava furioso demais para reclamar do iodo que Jacob borrifou nos ferimentos.

— Espero que essa árvore de ouro dê frutos por muitos anos — ele resmungou, enquanto Jacob enfaixava sua mão. — Do contrário, você já está em dívida comigo!

Na caverna, dois vigias ainda rondavam a ponte. Eles não os perseguiram, mas a luta fora tão extenuante que Jacob sentia ainda mais dificuldade para respirar, e as estradas escuras simplesmente não queriam acabar. Exausto, ele já se perguntava se o anão, afinal, não estaria fazendo novamente seu jogo sujo, quando o túnel diante deles fez uma curva e de repente se dissolveu em luz.

— E aí está! — sussurrou Valiant. — O ninho das feras ou a cova do leão, dependendo do lado em que você está.

A caverna em cuja parede rochosa o túnel se abria era de proporções tão gigantescas que Jacob não conseguiu enxergar onde ela acabava. Incontáveis lâmpadas despendiam a escassa luz confortável para os olhos dos goyls; elas pareciam alimentadas por eletricidade em vez de gás, e iluminavam uma cidade que parecia ter sido gerada pela própria pedra. Casas, torres e palácios brotavam do chão da caverna e erguiam-se pelas paredes como favos de um vespeiro, e dezenas de pontes de ferro lançavam-se no alto acima do mar de casas, como se fosse muito fácil estender o metal no ar. Suas colunas subiam como árvores entre os telhados, e algumas delas tinham casas nas laterais, como as pontes medievais do outro mundo: ruas flutuantes sob um céu de arenito. Elas pareciam a teia de ferro de uma aranha, e o olhar de Jacob subiu mais alto, até o teto da caverna, do qual pendiam três gigantescas estalactites. A maior delas era cravejada de torres de cristal que apontavam para baixo como lanças, e suas paredes brilhavam como se estivessem encharcadas do luar do mundo superior.

— É este o palácio? — ele sussurrou para o anão. — Não admira que eles não se impressionem muito com os nossos edifícios. Quando eles construíram essas pontes?

— Como vou saber? — respondeu Valiant com voz baixa. — Não se aprende história goyl nas escolas de anões. Dizem que o palácio tem mais de setecentos anos, mas o rei atual planeja um novo, porque o acha muito antiquado. As duas estalactites ao lado são quartéis militares e prisões. — O anão deu um sorriso maroto para Jacob. — Quer que eu descubra para você em qual delas está o seu irmão? Seus táleres de ouro com certeza soltarão a língua dos goyls. Naturalmente isso custará um extra também para mim.

Quando Jacob pôs três táleres de ouro na mão dele como resposta, Valiant não conseguiu se controlar. Ele se esticou para o alto e enfiou os dedos curtos no bolso do sobretudo de Jacob.

— Nada! — ele murmurou. — Absolutamente nada! É o sobretudo? Não, não é, com o outro também funcionou! Eles brotam dos seus dedos?

— Isso mesmo — respondeu Jacob, e tirou a mão do anão do bolso antes que ela se fechasse em volta do lenço.

— Eu ainda vou descobrir! — resmungou Valiant, enquanto fazia os táleres de ouro desaparecerem nos bolsos de veludo. — E agora cabeça para baixo. Olhos no chão. Você é um escravo.

As ruas que atravessavam o mar de casas junto às paredes da caverna eram ainda menos acessíveis para ele do que os becos de Terpevas. Muitas vezes, a subida era tão íngreme que os pés de Jacob escorregavam desastrosamente, e ele tinha de buscar apoio no batente de uma porta ou no peitoril de uma janela. Valiant, porém, movimentava-se ali quase tão habilmente quanto um goyl. A pele dos homens que eles encontravam no caminho era cinzenta por falta da luz do sol, e muitos tinham a letra de seu dono marcada a ferro na testa. Eles davam tão pouca atenção a Jacob quanto os goyls com os quais cruzavam no escuro labirinto de casas. O anão ao seu lado parecia realmente bastar como explicação, e Valiant tinha prazer em fazê-lo carregar tudo o que comprava nas lojas, no interior das quais desaparecia para obter informações sobre o paradeiro de Will.

— Bingo! — ele sussurrou finalmente, depois de deixar Jacob esperando quase meia hora na frente da oficina de um joalheiro. — Boa e má notícia. A boa é que descobri o que queremos saber. O ajudante de campo do rei levou para a fortaleza um prisioneiro que, segundo dizem, a Fada Escura mandou buscar. Deve ser o nosso amigo. Mas ainda não se espalhou que o prisioneiro tem pele de jade.

— E qual é a má notícia?

— Ele está no interior do palácio, nos aposentos da fada, e caiu num sono profundo do qual ninguém consegue acordá-lo. Suponho que você saiba o que está acontecendo.

— Sei.

Jacob olhou para as grandes estalactites no alto.

— Esqueça! — sussurrou o anão. — Daria na mesma se o seu irmão tivesse se dissolvido no ar. Os aposentos da fada ficam na ponta mais extrema. Você teria que atravessar o palácio inteiro. Nem mesmo você é louco o suficiente para tentar.

Jacob olhou para as janelas escuras na fachada de pedra cintilante.

— Você consegue uma audiência com o oficial com quem tem negócios?

— E depois? — Valiant sacudiu a cabeça com ar debochado. — Os escravos do palácio têm o símbolo do rei marcado a ferro na testa. Mesmo que o seu amor fraterno seja grande o suficiente para se submeter a isso, nenhum escravo está autorizado a deixar as alas inferiores.

— E uma das pontes?

— O que tem?

Duas delas possuíam ligação com o palácio. Uma era uma ponte ferroviária que desaparecia num túnel na parte superior; a outra era uma das pontes com casas, e estava apoiada à meia altura da estalactite. No trecho em que ela encontrava o palácio não havia construções, e a vista era livre para seu portão preto de ônix e para uma falange de sentinelas.

— Não estou gostando da expressão em seu rosto! — resmungou Valiant.

Mas Jacob não lhe deu atenção. Olhou para as vigas de ferro que sustentavam a ponte e as casas. Daquela distância, elas pareciam ter sido acrescentadas posteriormente para apoiar uma antiga estrutura de pedra. De qualquer forma, estavam cravadas como garras metálicas na parede lateral do palácio.

Jacob buscou proteção na entrada de uma casa e apontou a luneta para as estalactites.

— As janelas não possuem grades — ele sussurrou.

— Por que deveriam? — sussurrou Valiant em resposta. — Somente pássaros e morcegos chegam lá perto. Mas, pelo jeito, você está achando que é um dos dois.

Um grupo de crianças passou na rua estreita. Jacob nunca vira uma criança goyl antes, e por um louco instante pensou reconhecer o irmão num dos meninos. Quando eles se foram, Valiant ainda olhava fixamente para a ponte.

— Espere! — ele sussurrou. — Agora eu sei o que você está pensando! Isso é suicídio!

Jacob pôs a luneta de volta no bolso do sobretudo.

— Se quiser sua árvore de ouro, leve-me até a ponte.

Ele encontraria Will. Mesmo tendo beijado sua namorada.

36
O nome errado

— Fux?

Ali. Ela a chamava novamente. E Fux imaginava que o tritão a puxava para o fundo do lago. Que os lobos mordiam sua pele. Ou que o anão a vendia num mercado de escravos. A Fada Vermelha nunca fizera Fux se sentir assim. Nem a bruxa, em cuja cabana anos antes Jacob desaparecia quase todas as noites. Ou a camareira da imperatriz, cujo perfume adocicado de flores ela sentira na roupa dele durante semanas.

— Fux? Onde você está?

Fique quieta!!

Fux abaixou-se entre os arbustos e não sabia mais se tinha pele ou pelo. Ela não queria mais seu pelo. Ela queria pele e lábios que ele pudesse beijar como havia beijado os lábios de Clara. Ela a via nos braços dele. A todo instante.

Jacob.

Mas o que era aquilo que a rasgava por dentro e doía como sede ou fome? Amor não era. Amor era quente e macio como uma cama de folhas. Aquilo era escuro como as sombras de um arbusto venenoso — e faminto.

Tão faminto.

Devia ter outro nome. Não podia haver uma só palavra para vida e morte, o mesmo nome para sol e lua.

Jacob. Até mesmo seu nome de repente tinha outro gosto. E Fux sentiu o vento frio lhe acariciar novamente a pele humana.

— Fux?

Clara ajoelhou-se à sua frente no musgo úmido.

Seus cabelos eram como o ouro. Os cabelos de Fux sempre haviam sido ruivos, ruivos como o pelo da raposa. Ela não conseguia se lembrar se já tinham sido diferentes alguma vez.

Ela empurrou Clara para o lado e se ergueu. Era bom ter exatamente a mesma altura que ela.

— Fux. — Clara segurou-a pelo braço quando Fux tentou passar por ela. O vestido não a aquecia tão bem quanto o pelo, mas Fux não o chamou de volta. — Eu nem sei o seu nome. Seu verdadeiro nome.

Verdadeiro? O que havia de verdadeiro nele? E o que ela tinha a ver com isso? Nem mesmo Jacob sabia. "Celeste, lave as mãos. Penteie o cabelo."

— E então? Você ainda está sentindo?

Clara esquivou-se quando Fux mirou seus olhos azuis. Jacob conseguia olhar nos olhos de uma pessoa e mentir. Ele era muito bom nisso, mas para a raposa nem mesmo ele conseguia fingir.

Clara continuava sem olhar para ela, mas Fux cheirava o que ela sentia: o medo e a vergonha.

— Você já bebeu água de cotovias alguma vez?

— Não — ela respondeu em tom de desprezo. — Nenhuma raposa seria tão estúpida. — Mesmo que fosse mentira.

Clara olhou para o regato. As cotovias mortas ainda estavam prensadas entre as pedras. Clara. Seu nome soava como vidro e água fria, e Fux gostara muito dela — até Jacob beijá-la.

Ainda doía.

Chame o pelo de volta, Fux. Mas ela não podia. Ela queria sentir a pele, as mãos e os lábios com os quais podia beijar. Fux virou de costas para Clara, com medo de que seu rosto humano pudesse denunciar tudo aquilo. Ela nem sabia direito como era. Era bonita ou feia? Sua mãe era bonita, mas seu pai batia nela apesar disso. Ou justamente por isso.

— Por que você prefere ser uma raposa? — A noite tingia os olhos de Clara de preto. — Assim é mais fácil de entender o mundo?

— Raposas não tentam entender o mundo.

Clara passou as mãos nos braços, como se ainda sentisse neles as mãos de Jacob. E Fux viu que ela também desejava uma pelugem.

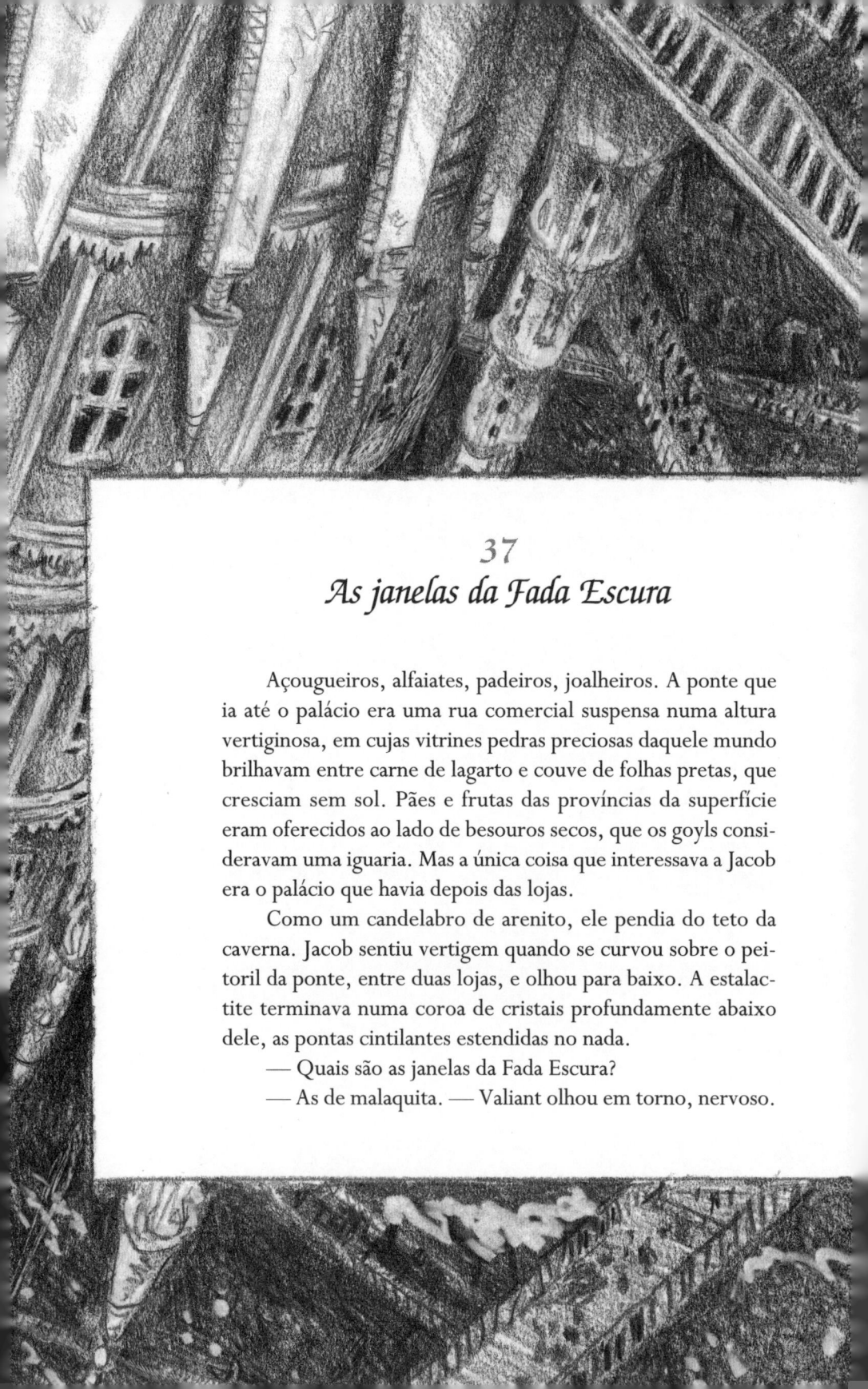

37
As janelas da Fada Escura

Açougueiros, alfaiates, padeiros, joalheiros. A ponte que ia até o palácio era uma rua comercial suspensa numa altura vertiginosa, em cujas vitrines pedras preciosas daquele mundo brilhavam entre carne de lagarto e couve de folhas pretas, que cresciam sem sol. Pães e frutas das províncias da superfície eram oferecidos ao lado de besouros secos, que os goyls consideravam uma iguaria. Mas a única coisa que interessava a Jacob era o palácio que havia depois das lojas.

Como um candelabro de arenito, ele pendia do teto da caverna. Jacob sentiu vertigem quando se curvou sobre o peitoril da ponte, entre duas lojas, e olhou para baixo. A estalactite terminava numa coroa de cristais profundamente abaixo dele, as pontas cintilantes estendidas no nada.

— Quais são as janelas da Fada Escura?
— As de malaquita. — Valiant olhou em torno, nervoso.

Havia muitos soldados na ponte, não apenas guardas diante dos portões do palácio, mas também entre a multidão que passava diante das lojas. Muitas das mulheres goyls usavam vestidos bordados com a pedra que combinava com sua pele. A pedra era lapidada na forma de escamas tão finas que o tecido brilhava como a pele de uma serpente, e Jacob apanhou-se perguntando a si mesmo como Clara ficaria num vestido daqueles. *Quanto dura o efeito?*

As janelas da fada eram como olhos verdes no arenito claro. As vigas de ferro da ponte estavam fixadas na parede do palácio menos de vinte metros abaixo, mas a fachada era lisa como um espelho e, ao contrário das outras estalactites, não oferecia nenhum apoio para a escalada.

Não importava. Ele tinha de tentar.

Atrás dele, Valiant resmungou algo sobre as limitações do entendimento humano, mas Jacob tirou a latinha de rapé do bolso. Dentro dela, havia um dos mais práticos objetos mágicos que ele já encontrara: um fio muito longo de cabelo dourado. O anão perdeu a fala quando Jacob começou a enroscá-lo entre os dedos. O cabelo se torceu fibra por fibra, fino como o fio de uma teia. Logo ele já tinha a espessura do dedo médio de Jacob e era mais firme do que qualquer corda daquele ou do outro mundo. Mas não era apenas sua firmeza que o tornava tão útil. Ele tinha outra propriedade, ainda mais fantástica. A corda crescia até o comprimento de que se necessitasse e agarrava-se exatamente ao ponto para o qual se olhasse ao lançá-la.

— Um fio de cabelo de Rapunzel. Não é uma ideia idiota! — sussurrou Valiant quando Jacob pegou a corda na mão e olhou para as janelas verdes. — Mas isso não vai ajudá-lo com os guardas! Eles irão vê-lo tão nitidamente como um besouro rastejando em seu rosto!

Como resposta, Jacob tirou do bolso o frasco de vidro verde. Ele o roubara de um stilz e estava cheio de uma gosma de caracol que proporcionava invisibilidade por algumas horas. Graças a isso, os caracóis carnívoros que a produziam esgueiravam-se com bastante sucesso por tudo que gostavam de comer, e os stilzes e os polegares os criavam para também poder caçar sem serem vistos. Era preciso passar a gosma sob o nariz — um procedimento nada agradável, muito embora inodoro —, mas o efeito era imediato. O único problema era que, quando usado com muita frequência, causava náuseas e paralisia que duravam horas.

— Gosma de sumiço e cabelo de Rapunzel. — Jacob ouviu um quê de admiração na voz do anão. — Admito que você está muito bem equipado. Mas não importa. Quero saber onde está plantada a árvore de ouro antes de você descer.

Mas Jacob já esfregava a gosma sob o nariz.

— Nada disso — ele disse. — E se houver algo que você não me contou e os guardas estiverem esperando por mim lá embaixo? A corda leva apenas um, portanto, pode ficar esperando por aqui. Caso os guardas deem o alarme, é melhor você arrumar um jeito de distraí-los, ou pode esquecer sua árvore de ouro.

Jacob saltou por cima do peitoril da ponte antes que o anão pudesse protestar. A gosma já fazia seu corpo desaparecer, e, quando ele se pendurou nas traves de ferro, não viu mais as próprias mãos. Ele se agarrou numa das vigas e jogou a corda. Ela serpenteou pelo ar, como se nadasse, até que se fixou numa saliência entre as janelas de malaquita.

E se você realmente encontrar Will atrás dessa janela, Jacob? E mesmo que você quebre o feitiço da Fada Escura — ele está dormindo! Como pretende tirá-lo da fortaleza? Ele não sabia a resposta. Apenas sabia que precisava tentar. E que ainda sentia os lábios de Clara nos seus.

Não foi difícil escalar o cabelo de Rapunzel. A corda amoldava-se às suas mãos, e Jacob tentou esquecer o abismo embaixo dele. *Vai ficar tudo bem.* A estalactite cresceu ao seu encontro, fibrosa como um músculo de pedra. Ele sentiu enjoo por causa da gosma de sumiço. *Só mais alguns metros, Jacob. Não olhe para baixo. Esqueça o abismo.*

Agarrando-se firmemente à corda esticada ao máximo, ele continuou a descer, até que finalmente suas mãos invisíveis tocaram as paredes lisas. Seus pés encontraram apoio na saliência da parede e, por um momento, enquanto pressionava o corpo contra a pedra fria, ele tomou fôlego. À direita e à esquerda, as janelas verdes cintilavam como água endurecida. *E agora, Jacob? Quer arrombar a janela?* Isso atrairia todos os guardas da fortaleza.

Ele tirou a faca de Chanute do cinto e encostou a lâmina no vidro. Ele só reparou nos buracos emoldurados com pedra da lua quando a serpente disparou para fora de um deles. Pedra da lua tão clara quanto suas escamas ou a pele de sua dona. A serpente envolveu o pescoço de Jacob antes que ele pudesse entender como isso acontecera. Ele tentou cravar a faca em seu corpo, mas ela o apertou tão impiedosamente que seus dedos a soltaram e ele apenas pôde se agarrar desesperado ao corpo escamoso. Seus pés escorregaram, e ele ficou suspenso sobre o abismo, indefeso como um pássaro numa armadilha, a serpente estranguladora em volta de seu pescoço. Duas outras saíram de um buraco e envolveram-lhe o peito e as pernas. Ele tentou tomar ar, mas não conseguia mais respirar, e a última coisa que viu foi a corda dourada se soltar da parede e desaparecer na escuridão acima dele.

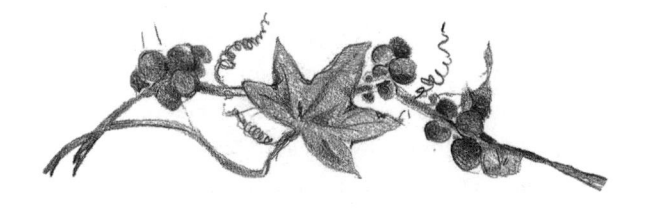

38
Achado e perdido

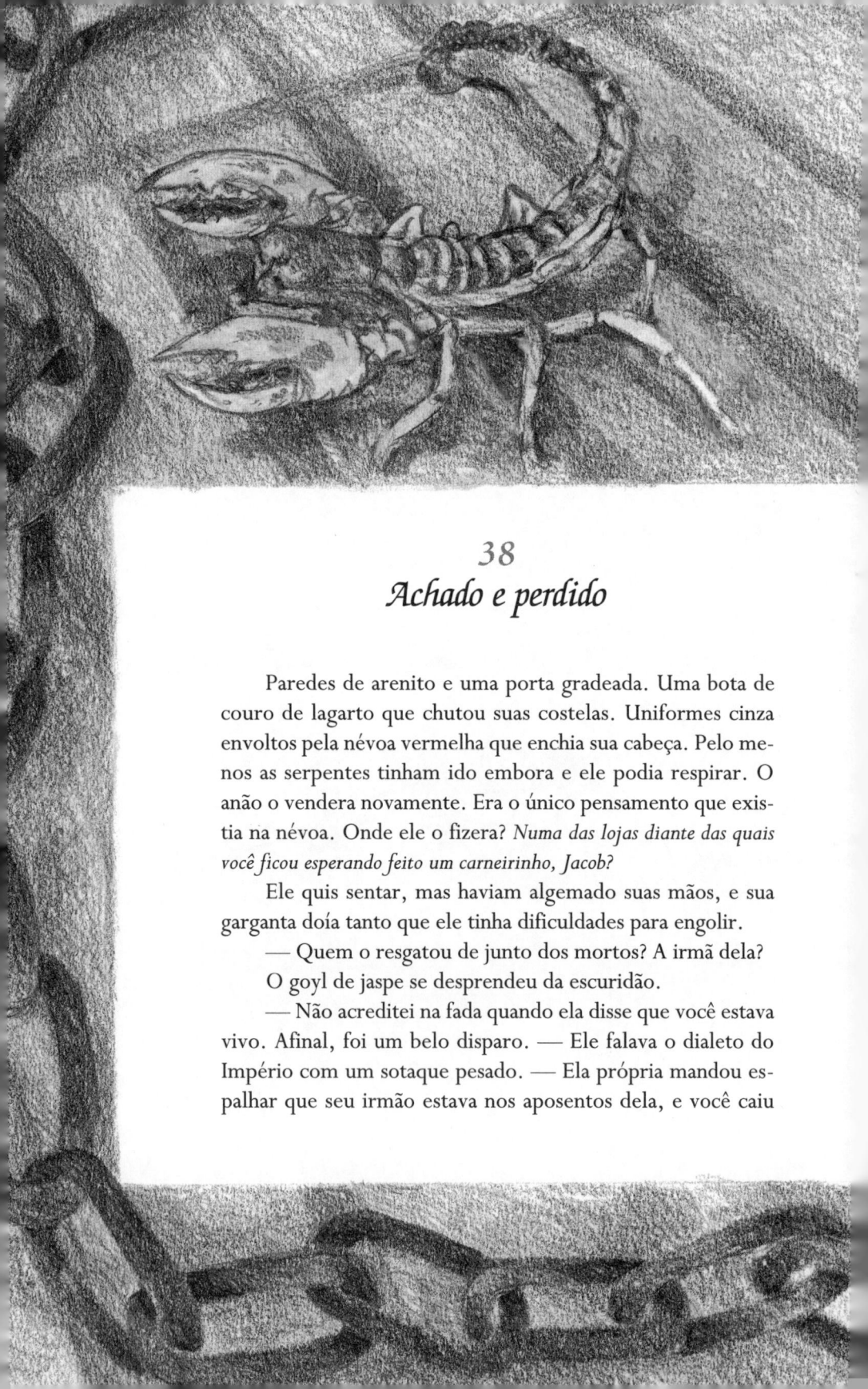

Paredes de arenito e uma porta gradeada. Uma bota de couro de lagarto que chutou suas costelas. Uniformes cinza envoltos pela névoa vermelha que enchia sua cabeça. Pelo menos as serpentes tinham ido embora e ele podia respirar. O anão o vendera novamente. Era o único pensamento que existia na névoa. Onde ele o fizera? *Numa das lojas diante das quais você ficou esperando feito um carneirinho, Jacob?*

Ele quis sentar, mas haviam algemado suas mãos, e sua garganta doía tanto que ele tinha dificuldades para engolir.

— Quem o resgatou de junto dos mortos? A irmã dela?

O goyl de jaspe se desprendeu da escuridão.

— Não acreditei na fada quando ela disse que você estava vivo. Afinal, foi um belo disparo. — Ele falava o dialeto do Império com um sotaque pesado. — Ela própria mandou espalhar que seu irmão estava nos aposentos dela, e você caiu como uma mosca na teia. Um azar o seu que nem mesmo a gosma de sumiço engane as serpentes. Mas você foi muito mais hábil do que os dois goyls de ônix que quiseram escalar o palácio até os aposentos reais. Tivemos que raspar seus restos mortais dos telhados da cidade.

Jacob apoiou as costas na parede e conseguiu sentar. A cela na qual o haviam jogado em nada se diferenciava das celas das prisões dos humanos: as mesmas grades, os mesmos rabiscos desesperados nas paredes.

— Onde está meu irmão? — Sua voz estava tão rouca que ele mal ouviu a si mesmo, e estava nauseado por causa da gosma.

O goyl não respondeu. Em vez disso, perguntou:

— Onde você deixou a garota?

Ele não podia estar falando de Fux. Mas o que eles queriam de Clara? *O que você acha, Jacob? Seu irmão está dormindo. E eles não podem acordá-lo. São boas notícias, certo?*

E se Valiant não a entregara também, isso comprovava que o anão de fato tinha um fraco por ela.

Portanto, faça-se de bobo, Jacob.

— Que garota? — A pergunta rendeu-lhe um chute no estômago, que o deixou sem ar quase tanto quanto a serpente. O soldado que chutou era uma mulher. Seu rosto pareceu conhecido a Jacob. Claro, ele atirara nela quando estavam com os unicórnios. Para ela, seria um prazer chutá-lo novamente. Mas o goyl de jaspe a deteve.

— Deixe para lá, Nesser — ele disse. — Desse jeito, com ele vai demorar horas.

Jacob ouvira falar dos escorpiões dos goyls.

Nesser deixou o primeiro andar por seus dedos de pedra quase com ternura, antes de colocá-lo no peito do prisioneiro. O escorpião era incolor e não muito mais comprido do que o polegar de Jacob, mas suas pinças brilhavam como metal prateado.

— Na pele dos goyls eles não fazem muito estrago — disse o goyl de jaspe quando o escorpião se enfiou debaixo da camisa de Jacob. — Mas a pele de vocês é muito mais macia. Portanto, vou perguntar novamente: onde está a garota?

O escorpião enterrou as tenazes em seu peito como se quisesse devorá-lo vivo. Jacob mordeu os lábios, até sentir o ferrão afundar em sua carne. O veneno derramou fogo sob sua pele e o fez ofegar de medo e dor.

— Onde está a garota?

A goyl pôs mais dois escorpiões em seu peito.

— Onde está a garota?

Sempre a mesma pergunta. Mas Will dormiria enquanto ele não respondesse, e Jacob gritou de dor até ficar rouco e desejou para si a pele de jade de Will. Ele se perguntou se pelo menos o veneno consumiria a água de cotovias, antes de finalmente perder a consciência.

Quando acordou, Jacob não conseguia se lembrar se havia dito aos goyls o que eles queriam saber. Ele estava em outra cela, de cuja janela se via o palácio suspenso. Todo o seu corpo doía, como se a pele tivesse sido escaldada, e o cinto de armas não estava mais ali, assim como tudo o que ele tinha nos bolsos; o lenço, felizmente, eles haviam deixado. *Felizmente, Jacob? De que lhe adiantam alguns táleres de ouro?* Os soldados goyls tinham fama de incorruptíveis.

Ele conseguiu se ajoelhar. Sua cela era separada de outra apenas por uma grade, e, quando olhou através das barras de ferro, ele esqueceu suas dores.

Will.

Jacob apoiou o ombro na parede e, com muito custo, conseguiu sentar. Seu irmão jazia ali como morto, mas respirava. Na testa e nas faces ainda havia resquícios de pele humana. A Fada Vermelha cumprira sua promessa e parara o tempo.

Lá fora no corredor passos se aproximavam, e Jacob afastou-se da grade atrás da qual seu irmão dormia. O goyl de jaspe vinha pelo corredor com dois guardas. Hentzau. Agora Jacob já sabia seu nome — e, quando viu quem eles arrastavam atrás dele, quis bater a cabeça nas barras de ferro.

Ele havia dito o que eles queriam saber.

Clara tinha um arranhão que sangrava na testa, e os olhos estavam arregalados de medo. *Onde está Fux?*, ele queria lhe perguntar, mas ela nem sequer o notou. Só tinha olhos para seu irmão.

Na cela, Hentzau empurrou-a para Will. Ela deu um passo na direção dele e parou como se estivesse perdida, ou se lembrasse de que apenas algumas horas antes havia beijado o outro irmão.

— Clara.

Ela se virou para ele. Jacob viu tantas coisas em seu rosto: pavor, preocupação, desespero... vergonha.

Ela andou até a grade e passou os dedos nas marcas de estrangulamento em seu pescoço.

— O que eles fizeram com você? — ela sussurrou.

— Não é nada. Onde está Fux?

— Eles a prenderam também.

Ela segurou a mão dele quando os goyls se puseram em posição de sentido diante da cela. O próprio Hentzau aprumou-se, ainda que o fizesse claramente contrariado, e no mesmo instante Jacob soube quem era a mulher que vinha pelo corredor.

Os cabelos da Fada Escura eram mais claros que os de suas irmãs, mas Jacob não se perguntou de onde vinha o seu nome. Ele sentiu sua escuridão como uma sombra na pele, mas não foi por medo que seu coração bateu mais depressa.

Você não precisa mais procurá-la, Jacob. Ela veio até você!

Clara recuou quando a fada entrou na cela de Will, mas Jacob fechou os dedos em torno da grade que o separava dela. *Chegue mais perto! Vamos, aproxime-se!*, ele pensou. Um toque apenas, e as três sílabas que a irmã dela lhe revelara. Mas a grade tornava a fada tão inatingível quanto se estivesse deitada no leito de seu amante real. Sua pele parecia feita de pérolas, e sua beleza fazia até mesmo a da irmã empalidecer.

Ela mediu Clara com a aversão que as fadas sentiam por todas as mulheres humanas.

— Você o ama? — A Fada Escura acariciou o rosto adormecido de Will. — Diga de uma vez.

Quando Clara recuou, sua própria sombra ganhou vida e, com dedos pretos, agarrou seus tornozelos.

— Responda, Clara — ele disse.

— Sim! — ela balbuciou. — Sim, eu o amo.

Sua sombra voltou a ser apenas uma sombra, e a fada sorriu.

— Muito bem. Então certamente quer que ele desperte. Acorde-o. Você só precisa beijá-lo.

Clara olhou para Jacob em busca de ajuda.

Não!, ele queria dizer. *Não faça isso!* Mas sua língua não lhe obedecia mais. Seus lábios estavam dormentes, como se a fada os tivesse lacrado, e ele pôde apenas observar impotente como ela segurava o braço de Clara e a puxava suavemente para perto de Will.

— Olhe para ele! — ela disse, e acariciou os cabelos loiros de Clara. — Se não o acordar, ele ficará aí para sempre, nem morto nem vivo, até que sua alma vire pó em seu corpo murcho.

Clara quis se afastar, mas a fada a segurou firme.

— Isto é amor? — ela sussurrou para Clara. — Traí-lo dessa maneira apenas porque sua pele não é mais macia como a sua? Deixe-o ir.

Clara ergueu a mão e acariciou o rosto petrificado de Will.

A fada soltou seu braço e recuou com um sorriso nos lábios.

— Ponha todo o seu amor nesse beijo! — ela disse. — Você verá. O amor não morre tão facilmente quanto você imagina.

E Clara fechou os olhos, como se quisesse esquecer o rosto petrificado de Will, e o beijou.

39
Acordado

Por um momento, apesar de saber que isso não aconteceria, Jacob desejou que ainda fosse seu irmão quem se erguia. Mas o rosto de Clara lhe revelou a verdade. Ela recuou diante de Will e o olhar que lançou para Jacob era tão desesperado que por um instante ele esqueceu a própria dor.

Seu irmão se fora.

Todos os resquícios de pele humana haviam desaparecido. Will não era mais do que pedra pulsante — o corpo familiar preso no jade como o de um inseto morto no âmbar.

Goyl.

Will ergueu-se do banco de arenito em que estava deitado e não deu atenção a Clara nem a Jacob. Seu olhar buscava apenas um rosto, o da fada, e Jacob sentiu a dor romper todas as camadas protetoras com as quais durante tantos anos envolvera seu coração. Ele estava desprotegido novamente, como se sentira no quarto vazio do pai. E como daquela vez não havia consolo. Apenas amor. E dor.

— Will! — Clara sussurrou o nome de seu irmão, como se fosse o de um morto. Ela deu um passo em direção a Will, mas a fada se pôs no caminho.

— Deixe-o ir — ela disse.

Os guardas abriram a porta da cela, e a fada puxou Will para junto dela.

— Venha comigo — ela disse. — É hora de despertar. Você dormiu demais.

Clara os seguiu com o olhar, até eles desaparecerem no corredor escuro. Então ela se virou para Jacob. Censura, desespero, culpa. Tudo isso tornava seus olhos mais escuros que os da fada. *O que eu fiz?*, eles perguntavam. *Por que não me impediu? Você não prometeu que o protegeria?* Mas talvez ele apenas lesse os próprios pensamentos no olhar dela.

— É para fuzilar este aqui? — perguntou um dos guardas e apontou para ele com a espingarda.

Hentzau tirou do cinto a pistola que havia tomado de Jacob. Ele abriu o compartimento de munição e examinou-o como ao caroço de uma fruta exótica.

— É uma pistola interessante. Onde a arranjou?

Jacob virou de costas para ele. *Atire de uma vez*, ele pensou. A cela, o goyl, o palácio suspenso. Tudo ao seu redor parecia irreal. As fadas e as florestas encantadas, a raposa que era uma garota — tudo não passava de delírios febris de um garoto de doze anos. Ele viu a si mesmo novamente na porta do quarto do pai, e viu Will passar e olhar curioso para ele, para os aeromodelos empoeirados, os revólveres antigos. E para o espelho.

— Vire-se para mim — A voz de Hentzau soou impaciente. A cólera dos goyls era tão fácil de despertar. Ela ardia imediatamente sob a pele de pedra.

Apesar disso, Jacob não obedeceu. E ouviu o goyl rir.

— A mesma arrogância. Seu irmão não se parece com ele. Por isso, no começo não percebi por que seu rosto me parecia familiar. Você tem os mesmos olhos. A mesma boca. Mas seu pai não sabia nem de longe esconder o medo tão bem quanto você.

Jacob se virou. *Como você é idiota, Jacob Reckless.*

"Os goyls possuem os melhores engenheiros." Quantas vezes ele ouvira essa frase atrás do espelho — nas ruas de Schwanstein ou como suspiros na boca dos oficiais da imperatriz —, e nunca imaginara nada.

O pai encontrado, o irmão perdido.

— Onde ele está? — perguntou.

Hentzau ergueu as sobrancelhas.

— Esperava que você pudesse me dizer. Nós o prendemos em Blenheim há cinco anos. Ele deveria construir uma ponte lá, porque os habitantes não aguentavam mais serem devorados pelas loreleis. Já naquela época o rio fervilhava delas, embora se goste de contar que foi a fada quem as soltou ali. John Reckless, era assim que ele dizia se chamar. Ele sempre levava uma foto dos filhos consigo. O rei o mandou construir uma câmera fotográfica para nós, muitos antes que os inventores da imperatriz chegassem a isso. Ele nos ensinou muito. Quem diria que um dia cresceria uma pele de jade em um dos seus filhos!

Hentzau acariciou o cano antiquado da pistola.

— Quando fazíamos perguntas, ele não era nem a metade tão teimoso quanto você, e o que aprendemos com ele foi muito útil nessa guerra. Mas depois ele fugiu. Eu o procurei durante meses, sem descobrir nenhum rastro. Agora, em vez dele, encontrei seus filhos.

Ele se virou para os guardas.

— Deixe-o viver até que eu volte do casamento — disse. — Há muitas coisas que quero lhe perguntar.

— E a garota? — O guarda que apontou para Clara tinha uma pele de pedra da lua.

— Deixe-a viver também — respondeu Hentzau. — E a garota raposa também. As duas provavelmente o farão falar mais depressa que os escorpiões.

Os passos de Hentzau silenciaram no corredor, e pela janela gradeada entravam os ruídos da cidade subterrânea. Mas Jacob estava muito longe, no escritório do pai, e tocava a moldura do espelho com seus dedos de criança.

40
A força dos anões

Na escuridão da cela, Jacob ouvia Clara respirar — e chorar. Eles ainda estavam separados pela grade, mas o pensamento em Will os separava ainda mais que as barras de ferro. Na cabeça de Jacob, os beijos que Clara lhe dera confundiam-se com o beijo que despertara seu irmão. E novamente ele via Will abrir os olhos e se afogar em jade.

Estava sufocado pelo próprio desespero. Miranda o observara em seus sonhos? Ela vira como ele fracassara deploravelmente? Clara estava com a cabeça encostada na fria parede da cela, e Jacob queria abraçá-la e enxugar as lágrimas de seu rosto. *Não é nada, Jacob. Nada além da água de cotovias.*

Atrás da janela gradeada, o palácio suspenso cintilava como um fruto proibido. Provavelmente Will estava lá agora…

Clara ergueu a cabeça. Do lado de fora, soou um raspão

surdo, como se algo se arrastasse pela parede, e entre as barras de ferro da janela de sua cela espremeu-se um rosto barbudo.

A barba de Valiant já crescia quase tão abundante como nos dias em que ele a usava com orgulho, e seus dedos curtos separaram as barras de ferro umas das outras sem esforço.

— Sorte de vocês que os goyls raramente prendem anões! — ele sussurrou, enquanto se enfiava entre as barras encurvadas da janela. — A imperatriz mandou reforçar as grades de todas as celas com prata.

Ele desceu da janela, ágil como uma doninha, e fez uma mesura diante de Clara.

— Por que está me olhando assim? — perguntou para Jacob. — Foi muito engraçado quando as serpentes o pegaram, absolutamente impagável.

— Tenho certeza de que os goyls o pagaram muito bem pela visão! — Jacob se levantou e lançou um olhar para o corredor, mas não havia nenhum guarda. — Onde foi exatamente que você me vendeu? Quando fiquei esperando na frente da joalheria durante horas? Ou no alfaiate que atende o palácio?

Valiant somente sacudiu a cabeça, enquanto rompia as algemas de ferro dos pulsos de Clara tão naturalmente como fizera com as grades da janela.

— A senhorita ouviu? — sussurrou para Clara. — Ele simplesmente não consegue confiar em ninguém. Falei para ele que era uma ideia idiota ficar zanzando pelas paredes do palácio do rei goyl feito uma barata. Mas ele me escutou? Não.

O anão separou as barras entre as celas e parou diante de Jacob.

— Suponho que também esteja me culpando por eles terem encontrado as garotas. Não foi ideia minha deixá-las sozinhas na floresta. E pode ter certeza de que não foi Evenaugh Valiant quem contou aos goyls onde elas estavam.

Ele se inclinou sobre Jacob com um sorriso de cumplicidade.

— Eles soltaram os escorpiões em você, não foi? Confesso que gostaria de ter visto isso.

Numa das celas vizinhas, soaram vozes, e Clara recuou para baixo da janela, mas o corredor permaneceu vazio.

— Vi o seu irmão — Valiant sussurrou para Jacob, enquanto o livrava das algemas. — Caso você ainda queira chamá-lo assim. Goyl em cada centímetro da pele, e segue a fada feito um cãozinho. Ela o levou para o casamento do amado. A metade dos guardas foi com eles. Só por isso pude me arriscar a subir até aqui.

Clara estava em pé, sem despregar o olhar do banco de arenito onde Will estivera.

— Vamos para fora, madame — sussurrou Valiant, e ajudou-a a subir na janela tranquilamente, como se ela não pesasse mais que uma criança. — Lá fora há uma corda que cuidará praticamente sozinha da escalada, e neste edifício não há serpentes.

— E Fux? — sussurrou Jacob.

Valiant apontou para o teto.

— Está bem em cima de vocês.

A fachada da estalactite onde ficava a prisão era áspera como o calcário e oferecia apoio suficiente, mas Clara tremeu quando se lançou da janela. Ela se agarrou ao peitoril, enquanto seus pés buscavam apoio entre as pedras. Já Valiant agarrava-se ao muro como se tivesse nascido ali.

— Relaxe — ele sussurrou enquanto pegava seu braço. — E simplesmente não olhe para baixo.

O anão havia se lançado de uma ponte que não era muito mais do que uma passarela de ferro. A corda de Rapunzel subiu esticando-se entre as vigas de ferro e a estalactite-prisão. Eram dez íngremes metros.

— Valiant tem razão! — sussurrou Jacob enquanto punha as mãos de Clara em volta da corda. — Olhe somente para cima. E fique embaixo da ponte até voltarmos com Fux.

A corda dourada quase não era mais do que um fio de teia de aranha na gigantesca caverna, e Clara avançava torturantemente devagar. Jacob seguiu-a com os olhos até ela alcançar a ponte e se agarrar a uma das vigas de metal. Anões e goyls eram conhecidos por suas habilidades na escalada, mas, se Jacob já não se sentia bem nas montanhas, o que dizer da fachada de uma edificação suspensa a centenas de metros de altura sobre uma cidade inimiga? Felizmente eles não precisaram escalar muito mais. Valiant estava certo. Haviam prendido Fux somente um andar acima.

Ela estava em sua figura humana, e, quando Jacob se ajoelhou ao seu lado, ela o abraçou e chorou feito uma criança, enquanto Valiant soltava suas correntes.

— Eles disseram que arrancariam meu pelo se eu me transformasse! — ela disse entre soluços.

— Tudo bem! — sussurrou Jacob, e acariciou os cabelos ruivos. — Vai ficar tudo bem.

É mesmo, Jacob? Como?

Naturalmente Fux lia o desespero no rosto dele.

— Você não encontrou Will — ela sussurrou.

— Encontrei. Mas ele se foi.

No corredor, uma porta bateu. Valiant armou a espingarda, mas os guardas arrastavam outro prisioneiro pelo corredor.

Fux escalava tão bem quanto o anão, e Clara pareceu bastante aliviada quando ela e Jacob içaram-se na viga ao seu lado. Valiant logo saltou sobre o peitoril da ponte, enquanto Jacob esfregava a corda de Rapunzel entre os dedos até ela se transformar de novo em nada além de um fio de cabelo dourado. Demorou uma eternidade até o anão acenar para eles subirem. Abaixo deles, uma tropa goyl marchava sobre outra ponte, e um trem de carga que atravessava o abismo tossiu sua fumaça suja na gigantesca caverna. Exceto por dois poços através dos quais entrava uma sombra da luz do dia, não se via nada que indicasse como os goyls se livraram dos gases que seu mundo produzia. *Seu pai deve ter lhes ensinado como fazer isso*, pensou Jacob, enquanto seguia Valiant pelas pranchas de ferro da ponte. Mas logo espantou o pensamento. Não queria pensar no pai. Nem mesmo em Will ele queria pensar. Ele queria voltar para a ilha e esquecer novamente, esquecer tudo, o jade, a água de cotovias e as pontes de ferro que pareciam a assinatura que John Reckless deixara naquele mundo.

— E os cavalos? — perguntou ao anão, quando eles se esconderam numa das arcadas que se estendiam ao longo da parede da caverna.

— Esqueça — resmungou Valiant. — Os estábulos ficam muito perto da entrada principal. Guardas demais.

— Isso significa que você pretende atravessar as montanhas a pé?

— Você tem um plano melhor? — retrucou o anão.

Não, ele não tinha. E dessa vez, quando passaram pelos vigias cegos, tinham apenas a espingarda de Valiant e a faca que ele trouxera para Jacob — não sem exigir um táler de ouro por ela.

Ao seu lado, Fux transformou-se novamente numa raposa, e Clara encostou-se numa das colunas e ficou olhando para o abismo, como se não estivesse com eles de verdade. Talvez ela estivesse novamente atrás do espelho e se encontrasse com Will no singelo café do hospital. Era um longo caminho de volta, e cada milha a lembraria de que Will não estava mais com eles.

Janelas e portas atrás de cortinas de arenito. Casas como ninhos de andorinhas. Olhos dourados por toda parte. Para não chamar muita atenção, primeiro Valiant andava com Clara, enquanto Jacob se escondia com Fux entre as casas. Depois, o anão se juntava aos dois, e Clara escondia-se em algum canto escuro. Na descida, as ruas e as escadas íngremes eram ainda mais intransitáveis para humanos do que na subida.

Valiant redesenhara a letra na testa de Jacob e andava de braço dado com Clara, tão orgulhoso de si como se exibisse aos goyls a esposa recém-arranjada. Como na ida, eles encontraram muitos soldados, e, a cada vez que passavam por eles, Jacob esperava ouvir um chamado estridente ou sentir uma mão de pedra agarrá-lo. Depois de algumas horas intermináveis, eles finalmente chegaram à abertura de onde tinham visto a caverna pela primeira vez. Mas, no túnel atrás dela, a sorte os abandonou.

Estavam tão exaustos que passaram a andar juntos. Jacob dava apoio a Clara, embora os olhares de Fux não lhe passassem desapercebidos. Os primeiros goyls que encontraram voltavam da caça. Era um grupo de seis, e estavam acompanhados por uma matilha de lobos adestrados que os seguiam até mesmo nas mais profundas cavernas. Dois criados levavam os cavalos com as presas: três dos grandes lagartos cujos chifres a cavalaria goyl usava nos elmos e seis morcegos, cujo cérebro era considerado uma iguaria. Nenhum dos caçadores lançou mais que um breve olhar para Jacob ao passar por eles em seus cavalos. Porém, a patrulha goyl que surgiu de repente num dos túneis laterais estava mais curiosa. Eram três soldados. Um deles era um goyl de alabastro — a cor da pele de muitos de seus espiões.

Quando Valiant mencionou o nome do mercador a quem Jacob supostamente pertencia, eles trocaram um rápido olhar. O goyl de alabastro sacou a pistola, enquanto revelava a Valiant que seu parceiro comercial fora preso devido a negócios ilegais com minérios, mas o anão foi mais rápido. Com um tiro, ele derrubou do cavalo o goyl de alabastro, e Jacob lançou a faca no peito do segundo. Valiant a comprara numa das lojas na ponte do palácio, e a lâmina penetrou facilmente na pele de citrino. Jacob horrorizou-se quando percebeu o quanto desejava matar todos eles. Fux pulou entre as pernas do cavalo do terceiro goyl, mas ele conseguiu controlá-lo e saiu dali galopando antes que Jacob pudesse pegar a arma do cinto de um dos mortos.

Valiant soltou uma praga que o próprio Jacob nunca tinha ouvido, e enquanto o barulho dos cascos do cavalo a galope silenciava na escuridão, ergueu-se um som que fez o anão se calar de repente. Era como se milhares de grilos mecânicos tivessem começado a estrilar nos rochedos, e as paredes ao redor tivessem ganhado vida. Besouros, centopeias, aranhas, baratas, arrastavam-se para fora de fendas e buracos; mariposas, pernilongos, moscas, libélulas, voavam em seu rosto, pousavam em seus cabelos e enfiavam-se em suas roupas. O alarme dos goyls fizera a terra respirar, e sua pele rochosa exalava vida, que rastejava, picava e voava.

Eles avançavam inseguros, quase às cegas na escuridão, debatendo-se, pisando no que vinha rastejando ao seu encontro. Nenhum deles sabia mais de onde tinham vindo e em que direção ficava o caminho para fora. Ao redor, as paredes continuavam a ciciar, e a luz da lanterna era um dedo tateando na escuridão. Jacob pensou ouvir cascos ao longe, vozes. Eles estavam numa armadilha, uma armadilha com infinitas ramificações, e o medo o fez esquecer o desespero que sentira na cela e despertou nele novamente o desejo de viver. Apenas viver! Nada além de viver, e voltar para a luz. Respirar.

Fux regougou, e Jacob a viu desaparecer numa passagem secundária. Uma lufada de vento acariciou-lhe o rosto quando ele puxou Clara para junto de si. A luz iluminava uma escada larga que conduzia para baixo, e ali estavam eles: os dragões dos quais o barqueiro falara. Mas eles eram de metal e madeira, os irmãos adultos das miniaturas empoeiradas que ficavam sobre a escrivaninha de John Reckless.

41
Asas

O alarme também podia ser ouvido na caverna dos aviões, mas ali nada saía rastejando das paredes. Elas eram vedadas e aplanadas, e por um largo túnel entrava um vislumbre da luz do dia. Junto dos aviões havia apenas dois goyls desarmados: mecânicos, e não soldados. Eles levantaram as mãos assim que Valiant apontou a espingarda.

No rosto deles, podia-se ver o medo da morte tão nitidamente quanto sua célebre fúria. Jacob os amarrou com cabos que Clara encontrou entre os aviões, mas um deles se soltou e tentou atacar com suas garras. Ele baixou as mãos assim que Valiant armou a espingarda, mas Jacob só conseguia pensar nas garras que haviam arranhado a nuca de Will. Ele nunca tivera prazer em matar, mas o desespero que sentira desde que Will seguira a Fada Escura fazia-o ter medo das próprias mãos.

— Não — sussurrou Clara, enquanto tirava a faca de sua

mão; por um instante, o fato de ela compreender a escuridão dentro dele ligou-os mais fortemente do que a água de cotovias.

Valiant esquecera os goyls. Ele esquecera tudo. O anão parecia não ver nem ouvir mais nada, nem o ciciar nas paredes, nem as vozes que ecoavam cada vez mais altas lá fora no túnel. Ele tinha olhos apenas para os três aviões.

— Oh, isso é maravilhoso! — ele murmurou. — Muito mais maravilhoso do que um dragão fedorento. Mas como eles voam e o que o goyl pretende com eles?

— Eles cospem fogo — disse Jacob. — Como todos os dragões.

Eram biplanos, como os que haviam sido construídos na Europa no início do século XX. Um gigantesco salto no futuro para o Mundo do Espelho — muito mais longe do que tudo que as fábricas de Schwanstein ou os engenheiros da imperatriz haviam desenvolvido. Dois dos aviões pareciam o caça de um só piloto usado na Primeira Guerra Mundial, mas o terceiro era uma cópia de um Junkers J4, um bombardeiro de dois lugares, que fora projetado também para exploração. Jacob montara uma miniatura do mesmo avião com o pai.

Fux não tirou os olhos de Jacob quando ele subiu no estreito cockpit.

— Desça daí!— ela gritou. — Vamos tentar pelo túnel. Ele vai dar no ar livre. Estou sentindo o cheiro!

Mas Jacob passou as mãos nos controles e verificou as válvulas. Os Junkers eram relativamente fáceis de pilotar. Apenas no solo eram pesados e difíceis de dirigir. *Você sabe isso de um livro, Jacob, e de brincar com aeromodelos. Você não pode acreditar seriamente que só por causa disso é capaz de pilotar.* Ele voara algumas vezes com o pai, quando o John Reckless do outro mundo dava escapulidas até um clube de voo esportivo, e não através de um espelho. Mas isso já fazia tanto tempo que parecia tão irreal quanto o fato de que ele uma vez tivera um pai.

O alarme estrilava na caverna, como se alguém tivesse espantado grilos num campo recém-ceifado.

Jacob aumentou a pressão do combustível. Onde estava a ignição?

Valiant olhou para ele assombrado.

— Espere! Você sabe voar com essa coisa?

— Claro! — Jacob quase convenceu a si mesmo, de tão naturalmente que a resposta saiu de seus lábios.

— Onde diabos você aprendeu?

Fux uivou advertindo Jacob.

As vozes lá fora estavam ficando mais altas. Eles estavam chegando.

Clara ergueu Valiant apressadamente para cima de uma das asas. Fux recuou diante do avião, mas Clara a pegou nos braços e subiu com ela no cockpit.

Os dedos de Jacob encontraram a ignição.

O motor deu a partida. As hélices começaram a girar, e, enquanto verificava os controles novamente, Jacob pensou ver as mãos do pai fazendo os mesmos movimentos. Em outro mundo. Em outra vida. "Veja isso, Jacob! Um casco de alumínio num esqueleto de metal. Apenas o leme ainda é de madeira." John Reckless nunca soava tão apaixonado quanto ao falar sobre aviões. Ou sobre armas.

Fux pulou para a frente, para junto de Jacob, e encolheu-se trêmula entre suas pernas.

Máquinas. Barulho de metal. Movimento construído. Magia mecânica para os que não têm pelos nem asas.

Jacob conduziu o avião para o túnel. Sim, ele era pesado no chão. Só restava esperar que ao voar fosse melhor.

Tiros ecoaram atrás deles quando o avião taxiou dentro do túnel. O barulho do motor ecoou entre as paredes rochosas. Gotas de óleo espirraram no rosto de Jacob, e uma asa quase raspou na rocha. *Mais depressa, Jacob.* Ele acelerou, embora isso não tornasse mais fácil manter-se longe das paredes, e respirou aliviado quando a pesada máquina saiu do túnel e ganhou velocidade numa pista de cascalho sobre a qual, entre nuvens brancas, pairava um sol pálido. O barulho do motor rompeu o silêncio, um bando de corvos ergueu-se das árvores próximas, mas felizmente eles não voaram na direção das hélices.

Mande-o para o alto, Jacob. Fux faz pelos crescerem nela, seu irmão tem uma pele de pedra, e você agora tem asas de metal.

Magia mecânica.

John Reckless trouxera dragões de metal para detrás do espelho. E como daquela vez em que encontrara a folha de papel no livro do pai, Jacob não pôde deixar de pensar que John Reckless novamente havia deixado algo para o filho mais velho.

O avião subiu mais e mais alto, e lá embaixo Jacob viu estradas e trilhos que desapareciam por enormes aberturas em forma de arco no interior de uma montanha. Até poucos anos antes, a entrada da fortaleza goyl era somente uma fenda natural no sopé da montanha. Mas agora os portões estavam adornados com lagartos de jade, e no flanco da montanha estava inserido o escudo real, que Kami'en declarara seu havia somente um ano: a silhueta de uma mariposa num fundo de cornalina. Quando Jacob passou pelo escudo, o sol desenhou a sombra do avião sob suas asas.

Ele roubara o dragão do rei dos goyls. Mas isso também não lhe devolvera seu irmão.

42
Dois caminhos

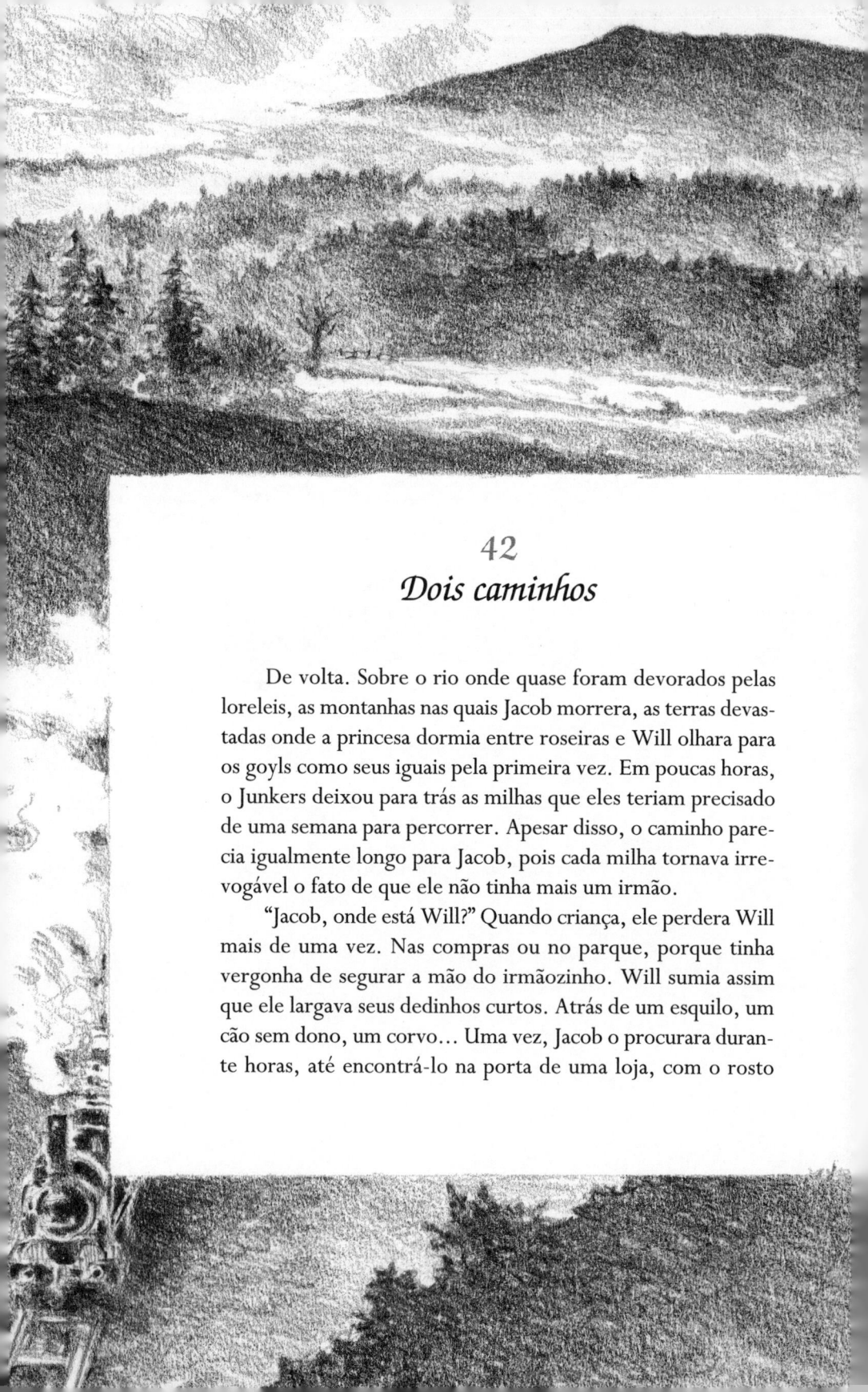

De volta. Sobre o rio onde quase foram devorados pelas loreleis, as montanhas nas quais Jacob morrera, as terras devastadas onde a princesa dormia entre roseiras e Will olhara para os goyls como seus iguais pela primeira vez. Em poucas horas, o Junkers deixou para trás as milhas que eles teriam precisado de uma semana para percorrer. Apesar disso, o caminho parecia igualmente longo para Jacob, pois cada milha tornava irrevogável o fato de que ele não tinha mais um irmão.

"Jacob, onde está Will?" Quando criança, ele perdera Will mais de uma vez. Nas compras ou no parque, porque tinha vergonha de segurar a mão do irmãozinho. Will sumia assim que ele largava seus dedinhos curtos. Atrás de um esquilo, um cão sem dono, um corvo... Uma vez, Jacob o procurara durante horas, até encontrá-lo na porta de uma loja, com o rosto inchado de tanto chorar. Dessa vez, porém, não havia um lugar onde ele pudesse procurar, um caminho pelo qual pudesse voltar para anular seu erro, o instante de desatenção.

Jacob seguiu uma estrada de ferro para o leste, porque tinha esperanças de que ela fosse em direção a Schwanstein. Fazia um frio enregelante no avião aberto, mesmo ele não voando muito alto, e a toda hora o vento soprava tão traiçoeiro entre as asas revestidas de alumínio que Jacob esqueceu as recriminações que fazia a si mesmo e apenas lutou com o avião oscilante. Atrás dele, o anão começava a praguejar a cada vez que o avião perdia altitude, embora certamente apreciasse dividir o estreito banco traseiro com Clara; e Fux emitia seus uivos queixosos com frequência cada vez maior. Apenas de Clara não vinha nenhum som, como se ela deixasse o vento levar tudo o que acontecera nos últimos dias.

Voar.

Era como se ambos os mundos se fundissem, como se não houvesse mais o espelho. Se dragões viravam máquinas, o que viria a seguir?

Não era bom ter tais pensamentos atrás dos controles de um biplano, muito menos quando era a primeira vez que se estava sentado ali. A fumaça que subiu de uma locomotiva tapou a visão de Jacob. Ele fez o avião subir depressa demais, e o Junkers despencou para a terra, como se de repente tivesse se lembrado de que na verdade provinha de outro mundo. Fux encolheu-se entre uivos, e os xingamentos de Valiant encobriam as cuspidas do motor.

Claro. Como você pôde acreditar que era possível confiar em algo proveniente do seu pai, Jacob?

Ele sentiu Clara enterrar os dedos em seu ombro. Qual seria seu último pensamento? O rosto de jade de Will ou as cotovias mortas?

Ele não chegou a saber.

Uma rajada de vento interrompeu a queda da máquina agonizante, e Jacob conseguiu recuperar o controle antes que ela batesse na primeira copa de árvore. O avião adernou como um pássaro ferido, mas ele conseguiu pousar num terreno elevado e lamacento. O leme espatifou-se com o choque. Uma das asas quebrou-se ao bater numa árvore, o casco se rompeu ao deslizar sobre o chão pedregoso, mas finalmente o avião parou. O motor morreu com um último rugido — e eles estavam vivos.

Valiant desceu gemendo pela asa e vomitou debaixo de uma árvore. O anão batera o nariz, e Clara ferira a mão num galho, mas de resto eles estavam incólumes. Fux estava tão contente por sentir novamente o chão firme sob as patas que saltou em cima do primeiro coelho que ergueu a cabeça na relva.

A raposa lançou um olhar aliviado para Jacob quando avistou a colina com a ruína à sua esquerda. De fato, eles não estavam muito longe de Schwanstein. Mas Jacob olhou para os trilhos que no sopé da colina se estendiam para o sul como uma costura de ferro, não apenas até Schwanstein, mas para mais longe, muito mais longe... até Vena, a capital da imperatriz. Jacob pensava ver as cinco pontes diante de si, o palácio, as torres da catedral...

— Reckless! Por acaso você está me ouvindo? — Valiant limpou o sangue do nariz com a manga. — Quanto ainda falta?

— Para quê? — Jacob ainda olhava para os trilhos.

— Para a sua casa. Minha árvore de ouro!

Jacob não respondeu. Olhou para o leste, onde o trem que os fizera cair surgiu entre as colinas. Fumaça branca e ferro preto.

— Fux. — Ele se ajoelhou ao lado dela. Seu pelo ainda estava desgrenhado do vento. — Quero que leve Clara de volta para a ruína. Voltarei em alguns dias.

Ela não perguntou aonde ele pretendia ir. Fux olhou para ele, como se já soubesse havia muito tempo. Sempre fora assim. Ela o conhecia melhor do que ele mesmo. Mas Jacob viu que ela estava cansada de temer por ele. E a raiva voltara. Ela não o perdoara pela água de cotovias, nem por ter ido sem ela para a fortaleza. E agora ele a deixaria para trás novamente. *Desista de uma vez!*, diziam seus olhos.

Como, Fux?

Jacob se ergueu.

O trem cresceu comendo campos e pastos, e Fux olhou para ele como se a própria morte estivesse lá dentro.

Dez horas até Vena. *E depois, Jacob?* Ele nem ao menos sabia quando exatamente seria o casamento. Mas ele não queria pensar. Seus pensamentos eram de jade.

Desceu a colina, desabalado. Perplexo, Valiant gritou o nome dele, mas Jacob não olhou para trás. O ar se encheu com a fumaça e o barulho do trem. Ele correu mais depressa, agarrou-se ao ferro, encontrou apoio num estribo.

Dez horas. Tempo para dormir e esquecer tudo. Menos o que a Fada Vermelha lhe revelara sobre a irmã escura.

43
Cão e lobo

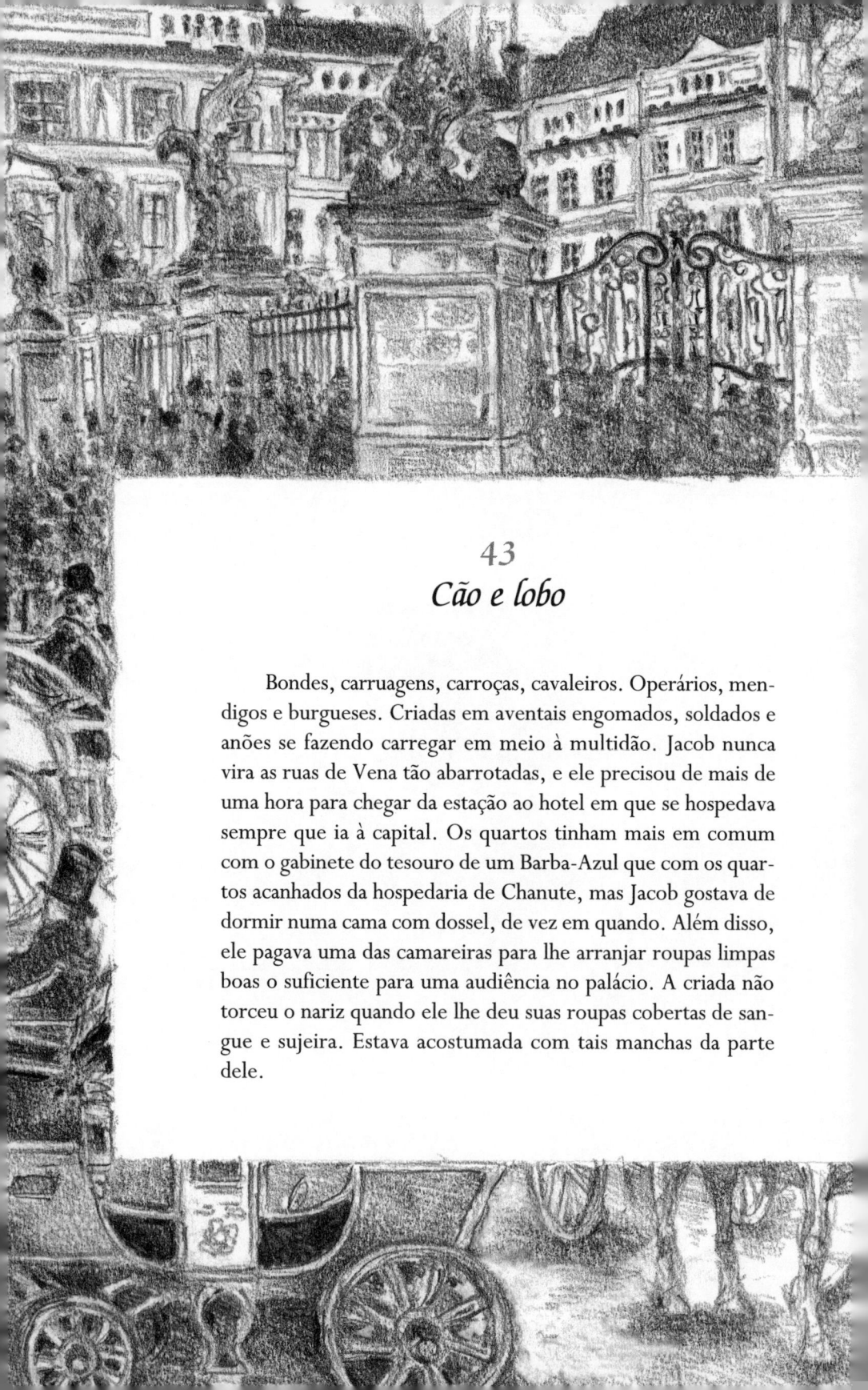

Bondes, carruagens, carroças, cavaleiros. Operários, mendigos e burgueses. Criadas em aventais engomados, soldados e anões se fazendo carregar em meio à multidão. Jacob nunca vira as ruas de Vena tão abarrotadas, e ele precisou de mais de uma hora para chegar da estação ao hotel em que se hospedava sempre que ia à capital. Os quartos tinham mais em comum com o gabinete do tesouro de um Barba-Azul que com os quartos acanhados da hospedaria de Chanute, mas Jacob gostava de dormir numa cama com dossel, de vez em quando. Além disso, ele pagava uma das camareiras para lhe arranjar roupas limpas boas o suficiente para uma audiência no palácio. A criada não torceu o nariz quando ele lhe deu suas roupas cobertas de sangue e sujeira. Estava acostumada com tais manchas da parte dele.

Os sinos da cidade deram doze badaladas quando Jacob se pôs a caminho do palácio. Nas paredes de muitas casas, slogans antigoyls haviam sido pichados sobre os cartazes com a foto oficial do casal de noivos. Eles rivalizavam com as manchetes pomposas que os jornaleiros apregoavam em todas as esquinas: "Paz permanente..."; "Acontecimento histórico..."; "Dois reinos poderosos..."; "Nossos povos...". O mesmo gosto por palavras grandiloquentes em ambos os lados do espelho.

Um ano antes o próprio Jacob havia posado para o fotógrafo que eternizara o casal de noivos. O homem entendia de seu ofício, mas a princesa não facilitara as coisas para ele. A beleza que o lírio das fadas havia proporcionado a Amália da Austrásia era fria como porcelana, e na vida real seu rosto era tão inexpressivo quanto nos cartazes. Já o noivo parecia fogo convertido em pedra até mesmo nas fotografias.

A multidão diante do palácio era tão grande que Jacob teve de se esforçar para abrir caminho até o portão de ferro fundido. Os soldados da guarda imperial apontaram as baionetas assim que ele parou diante dele, mas felizmente Jacob distinguiu um rosto conhecido sob um dos elmos emplumados: Justus Kronsberg, o filho caçula de um aristocrata do campo. Sua família devia a riqueza ao fato de que, em suas terras, viviam enxames de elfos, cujo fio e vidro enfeitavam tantos vestidos na corte.

A imperatriz admitia na guarda imperial apenas soldados que tivessem no mínimo dois metros de altura, e o caçula dos Kronsberg não era uma exceção. Justus Kronsberg era meia cabeça mais alto que Jacob, sem contar o elmo, porém o escasso bigode não escondia que seu rosto ainda era o de uma criança.

Anos antes, Jacob defendera um dos irmãos de Justus de uma bruxa que ficara muito aborrecida porque ele havia rejeitado uma de suas filhas. Todos os anos, em agradecimento, o pai lhe mandava tanto vidro élfico que dava para os botões de todas as suas roupas. Que o vidro protegesse contra stilzes e polegares, contudo, acabou não se comprovando.

— Jacob Reckless! — O caçula dos Kronsberg falava o dialeto suave que se ouvia nas aldeias perto da capital. — Ontem alguém me contou que os goyls tinham matado você.

— É mesmo?

Jacob pôs a mão no peito involuntariamente. A marca da mariposa ainda coloria sua pele.

— Onde eles acomodaram o noivo? — ele perguntou quando Kronsberg abriu o portão. — Na ala norte?

Os outros guardas olharam para ele desconfiados.

— Onde mais? — Kronsberg baixou a voz. — Está voltando de alguma missão? Ouvi dizer que a imperatriz ofereceu trinta táleres de ouro por um saco de desejos, depois que o Rei Torto começou a se gabar de possuir um.

Um saco de desejos. Chanute possuía um. Jacob estava junto quando ele o roubou de um stilz. Mas o próprio Chanute não era tão inescrupuloso a ponto de pôr tal objeto nas mãos de uma imperatriz. Era preciso apenas dizer o nome de um inimigo, e o saco o fazia desaparecer sem deixar vestígios. Dizia-se que o Rei Torto já se livrara de centenas de homens dessa maneira.

Jacob olhou para as sacadas no andar de cima, onde a imperatriz apresentaria o casal de noivos no dia seguinte.

— Não, não estou aqui por causa do saco de desejos — ele disse. — Trago um presente para o noivo. Mande lembranças ao seu irmão e ao seu pai.

Kronsberg ficou visivelmente decepcionado por não obter mais informações, mas mesmo assim abriu para Jacob o portão que dava no primeiro pátio do palácio. Afinal de contas, seu irmão devia a ele o fato de não ser um sapo no fundo de algum poço, ou, o que muitas bruxas andavam preferindo, um capacho ou uma bandeja para servir seu chá.

Fazia três meses que Jacob estivera no palácio. Ele verificara a autenticidade de uma noz mágica num dos gabinetes de curiosidades da imperatriz. Os amplos pátios, comparados ao que ele vira na fortaleza dos goyls, tinham um aspecto quase modesto, e os edifícios ao redor pareciam austeros apesar das sacadas de cristal e das cumeeiras douradas. Mas o luxo em seu interior ainda era impressionante.

Especialmente na ala norte, os imperadores da Austrásia não haviam poupado em nada. Afinal, ela fora construída para ostentar a riqueza e o poder do Império perante seus hóspedes. Flores e frutas de ouro enroscavam-se nas colunas do saguão de entrada. O piso era de mármore branco — também de mosaicos os goyls entendiam mais do que seus inimigos —, e as paredes estavam pintadas com paisagens dos lugares de maior interesse para os visitantes do reino: as montanhas mais altas, as cidades mais antigas, os mais belos palácios. A ruína que abrigava o espelho estava retratada ainda em seu antigo esplendor, e Schwanstein era um cenário de conto de fadas. Na pintura, nem ruas nem trilhos atravessavam a colina. Em compensação, ela fervilhava de tudo aquilo que os antepassados da imperatriz haviam caçado com paixão: gigantes e bruxas, tritões e loreleis, unicórnios e ogros.

Ao longo da escada que conduzia aos andares superiores, estavam pendurados quadros menos pacíficos. O pai da imperatriz mandara pintá-los: batalhas marítimas e terrestres, de verão e de inverno, batalhas contra seu irmão na Lorena, o primo em Álbion, anões rebeldes e os príncipes-lobos no leste. Cada hóspede, não importava de onde viesse, encontraria com toda a certeza uma pintura que mostrava a pátria em guerra com o Império. E, naturalmente, eram sempre os perdedores. Somente os goyls haviam subido as escadas sem ver seus antepassados sucumbirem numa batalha ali retratada, pois desde a primeira batalha que travaram com humanos, sempre, sem exceção, haviam sido os vencedores.

Os dois guardas que vieram ao encontro de Jacob na escada não o detiveram, embora ele estivesse armado, e o criado que vinha apressado atrás deles cumprimentou-o respeitosamente com a cabeça. Todos na ala norte conheciam Jacob Reckless, pois Teresa da Austrásia mandava chamá-lo com frequência para guiar hóspedes importantes por seus gabinetes de curiosidades e contar-lhes histórias verdadeiras e fictícias sobre os tesouros ali expostos.

Os goyls estavam hospedados no segundo e mais suntuoso andar. Jacob viu suas sentinelas assim que deu uma espiada no primeiro corredor. Eles o viram, mas Jacob fingiu não os notar e virou para a esquerda, onde, ao lado da escada, havia uma sala na qual a imperatriz demonstrava seu interesse pelo resto do mundo expondo souvenirs das viagens de sua família.

A sala estava vazia, como Jacob esperava. Os goyls certamente não estavam interessados nos gorros de pelo de troll que o tataravô da imperatriz trouxera da Jetlândia ou nas botas de um leprechaun de Álbion, e o que quer que se contasse sobre seus semelhantes nos livros que cobriam as paredes não devia ser lá muito elogioso.

A ala norte ficava longe dos aposentos onde residia a imperatriz, o que dava a seus hóspedes a ilusão de não estarem sendo observados. Atrás das paredes, porém, existia uma rede de passagens secretas por meio da qual se podia observar, e em alguns casos até mesmo invadir, cada quarto. Dessa maneira, Jacob havia feito algumas visitas noturnas à filha de um embaixador. A entrada nos corredores se dava através de portas camufladas, e uma delas ficava escondida atrás de um souvenir de uma viagem imperial à Lorena. A cortina era bordada com pérolas, como as encontradas no estômago dos polegares, e a porta que ela escondia parecia parte do revestimento de madeira.

Jacob tropeçou no cadáver de um rato quando entrou no escuro corredor atrás dela. A imperatriz mandava envenená-los periodicamente, mas os roedores gostavam de suas passagens secretas. A cada três metros, havia nas paredes buracos para espiar do tamanho da unha de um polegar, que do outro lado estavam disfarçados como adornos de estuque ou falsos espelhos. No primeiro aposento que Jacob espiou, uma camareira espanava os móveis. No segundo e no terceiro, os goyls haviam instalado escritórios provisórios, e Jacob parou de respirar involuntariamente quando viu Hentzau sentado a uma das mesas. Mas não estava ali por causa dele.

O ar era abafado nas escuras passagens, e o espaço tão apertado que fazia o coração bater mais depressa. O canto de uma aia soou através de uma das finas paredes, depois o tilintar de louça, mas Jacob desligou depressa a lanterna quando, de repente, ouviu alguém tossir à sua frente. Era óbvio. Teresa da Austrásia mandava espionar todos os seus hóspedes. Por que seria diferente com seu maior inimigo, mesmo dando a ele a própria filha como esposa?

Um lampião se acendeu na frente de Jacob. Ele iluminava um homem tão pálido que parecia ter passado a vida inteira naquelas passagens sem luz. Jacob escondeu-se no escuro e prendeu a respiração até o espião imperial passar e desaparecer pela porta camuflada. Caso ele tivesse saído para buscar seu substituto, não restava muito tempo.

O espião observara o aposento que Jacob estava procurando. Ele reconheceu a voz da Fada Escura antes de vê-la através do diminuto orifício. Apenas algumas velas iluminavam o aposento. As cortinas estavam fechadas, mas a luz do sol vazava debaixo do brocado dourado-pálido, e ela estava diante de uma das janelas acortinadas como se quisesse proteger o amante da luz. Mesmo no aposento escurecido, sua pele brilhava como se o luar tivesse se transformado em carne. *Não olhe para ela, Jacob.*

O rei dos goyls estava diante da porta. Fogo no escuro. Mesmo atrás da parede, Jacob pensou sentir sua impaciência.

— Você está me pedindo para acreditar num conto de fadas. — Cada palavra enchia a sala. A voz denunciava sua força, e a capacidade de mantê-la sob controle. — Admito que acho divertido que todos os que gostariam que voltássemos para debaixo da terra acreditem. Mas não espere que eu seja tão ingênuo. Nenhum homem pode, com a cor de sua pele, conseguir o que não logrou o melhor exército. Não sou invencível, e ele não vai me tornar invencível. Até mesmo esse casamento me trará a paz somente por um tempo.

A fada quis retrucar, mas ele não a deixou tomar a palavra.

— Há revoltas no norte, e no leste apenas temos paz porque eles preferem matar uns aos outros. No oeste, o Rei Torto aceita meu suborno e arma-se contra mim pelas minhas costas, isso para não mencionar seu primo na ilha. Os goyls de ônix não gostam da cor da minha pele. Minhas fábricas de munição não produzem tão depressa quanto meus soldados disparam. Os hospitais militares estão superlotados, e os rebeldes explodiram duas das minhas principais ferrovias. Pelo que me lembro, na história que minha mãe contava, não se falava de nada disso. Deixe o povo acreditar no goyl de jade e em pedras da sorte. Mas atualmente o mundo é feito de ferro.

Ele pôs a mão na maçaneta, e olhou para as ferragens douradas que adornavam a porta.

— Eles fazem coisas bonitas — murmurou. — Apenas me pergunto por que são tão fanáticos por ouro. Prata é tão mais bonita.

— Prometa que ele ficará ao seu lado. — A fada estendeu a mão e tudo que era de ouro no escuro aposento se cobriu de prata. — Até mesmo no altar, quando você disser o sim. Por favor!

— Ele é um goyl-homem! O próprio jade não impede meus oficiais de perceberem esse fato. Ele é menos experiente que todos os meus outros guarda-costas.

— Apesar disso, ele derrotou todos eles! Prometa.

Ele a amava. Jacob via em seu rosto. Tanto que lhe dava medo.

— Tenho que ir. — Ele se virou, mas, quando quis abrir a porta, ela não obedeceu. — Pare com isso! — ele ralhou com a fada.

Ela abaixou a mão, e a porta se abriu.

— Prometa — ela disse mais uma vez. — Por favor!

Mas seu amante saiu sem responder, e ela ficou sozinha.

Agora, Jacob!

Ele tateou em busca de uma porta secreta, mas seus dedos não encontraram nada além de uma parede de madeira. A fada andou até a porta pela qual seu amante saíra. *Vamos lá, Jacob. Ela ainda está sozinha. Lá fora haverá guardas!* Talvez ele pudesse derrubar a parede com um chute. E depois? Só o barulho atrairia uma dúzia de goyls. Jacob ainda estava no estreito corredor sem saber o que fazer, quando um soldado goyl aproximou-se da fada no quarto escuro.

Pele de jade.

Era a primeira vez que ele via o irmão com o uniforme cinzento dos goyls. Will usava-o como se nunca tivesse vestido outra coisa. Nada mais no irmão lembrava que ele havia sido um homem. Talvez os lábios, em comparação com os dos goyls, fossem um pouco mais cheios, e os cabelos um pouco mais finos, mas até mesmo seu corpo falava outra linguagem. E ele olhou para a fada como se ela fosse o princípio e o fim do mundo.

— Ouvi dizer que você desarmou o melhor guarda-costas do rei.

Ela acariciou seu rosto. O rosto que sua magia transformara em jade.

— Ele não é nem de longe tão bom quanto pensa.

Seu irmão nunca soara assim. Will nunca procurava brigar ou medir forças com alguém. Nem mesmo com o irmão.

A Fada Escura sorriu, quando Will fechou quase carinhosamente a mão em torno do punho da espada.

Dedos de pedra.

Você vai pagar por isso, pensou Jacob, enquanto se afogava em ódio e em dor impotente. *E a sua irmã estipulou o preço.*

Ele se esquecera completamente do espião. O homem arregalou os olhos, aterrorizado, quando seu lampião desprendeu a figura de Jacob da escuridão. Jacob bateu com a lanterna em sua têmpora e segurou o corpo que caía, mas um dos seus magros ombros raspou na parede de madeira. E o lampião caiu no chão, antes que ele pudesse apanhá-lo.

— O que foi isso? — ouviu a fada perguntar.

Jacob apagou o lampião e prendeu a respiração.

Passos.

Ele tateou em busca da pistola, até se dar conta de quem vinha na direção da parede de madeira.

Will chutou-a como se fosse de papelão, e Jacob não esperou até que o irmão passasse pela madeira estilhaçada. Ele correu de volta para a porta disfarçada, enquanto a Fada Escura chamava os guardas.

Pare, Jacob. Mas nunca algo lhe dera tanto medo quanto os passos que o seguiam. Will com certeza enxergava no escuro tão bem quanto Fux. E estava armado.

Dê um jeito de sair do escuro, Jacob. Aqui ele está em vantagem. Jacob arrancou a cortina quando se precipitou para fora da passagem pela porta camuflada.

A luz repentina ofuscou os olhos de Will. Ele ergueu o braço diante do rosto para se proteger, e Jacob tirou a espada de sua mão com um golpe.

— Deixe a espada no chão, Will!

Jacob apontou a pistola para ele. Will abaixou-se mesmo assim. Jacob tentou pisar na espada para impedi-lo, mas dessa vez seu irmão foi mais rápido. *Ele vai matá-lo, Jacob! Atire!* Mas ele não pôde. Ainda era o mesmo rosto, ainda que fosse de jade.

— Will, sou eu!

Will bateu com a cabeça em seu rosto. O sangue escorreu do nariz de Jacob, e somente por um triz ele rebateu para o lado a espada do irmão, antes que a lâmina lhe rasgasse o peito. O próximo golpe de Will abriu um corte em seu antebraço. Ele lutava como um goyl, sem hesitar, com frieza e precisão, todo o medo neutralizado pela fúria. "Ouvi dizer que você desarmou o melhor guarda-costas do rei." "Ele não é nem de longe tão bom quanto pensa." Mais um golpe. *Defenda-se, Jacob.*

Lâmina com lâmina, metal afiado em vez das armas de brinquedo com as quais eles lutavam quando crianças. Fazia tanto tempo. Acima deles, a luz do sol refletia-se nas flores de vidro de um candelabro, e o motivo do papel de parede reproduzia um desenho em que as bruxas dançavam evocando a primavera. Will respirava com dificuldade. Ambos ofegavam tão ruidosamente que só perceberam os guardas imperiais quando eles apontaram as longas espingardas. Will recuou diante dos uniformes brancos, e Jacob involuntariamente se pôs na frente dele para protegê-lo, como sempre fazia. Mas seu irmão não precisava de sua ajuda. Os goyls também o haviam encontrado. Eles vinham pela porta camuflada. Uniformes cinzentos atrás deles, brancos na frente. Will apenas baixou a espada quando um goyl com voz cortante deu a ordem.

Irmãos.

— Este homem tentou invadir os aposentos do rei!

O oficial era um goyl de ônix e falava a língua do Império quase sem sotaque. Will não tirou os olhos de Jacob enquanto se punha ao seu lado.

Ainda o mesmo rosto e, no entanto, tão pouco o de seu irmão, tanto quanto um cão se parecia com um lobo. Jacob virou-se de costas. Ele não aguentava mais olhar para Will.

— Jacob Reckless. — Ele estendeu a espada para os guardas. — Preciso falar com a imperatriz.

O soldado que pegou a espada cochichou algo para o oficial. Talvez o retrato de Jacob que a imperatriz mandara pintar quando ele lhe trouxera o sapatinho de cristal ainda estivesse pendurado em algum corredor.

Will seguiu Jacob com o olhar quando os guardas o levaram. *Esqueça que você tem um irmão Jacob. Ele também esqueceu.*

44
A imperatriz

Já fazia bastante tempo que Jacob estivera no salão de audiências da imperatriz. Mesmo quando ele ou Chanute traziam algo que ela os fizera procurar durante anos, era quase sempre um de seus anões quem negociava o pagamento ou lhes fazia uma nova encomenda. A imperatriz só concedia uma audiência pessoal quando a missão, como no caso do sapatinho de cristal ou da mesinha ponha-se, resultava especialmente perigosa, e a história que lhe haviam contado continha sangue suficiente ou medo da morte. Teresa da Austrásia teria dado uma excelente caçadora de tesouros se não tivesse nascido filha de um imperador.

Ela estava sentada atrás da escrivaninha quando os guardas trouxeram Jacob. A seda de seu vestido estava bordada com vidro élfico, e era do mesmo amarelo-dourado que as rosas sobre a escrivaninha. Sua beleza era uma lenda, mas a guerra e a derrota estavam escritas em seu rosto. As linhas da testa estavam mais marcadas, as sombras sob os olhos mais escuras, e o olhar se tornara um pouco mais frio.

Um de seus generais e três ministros estavam diante das janelas através das quais se avistavam os telhados e as torres da cidade, e as montanhas que os goyls já haviam conquistado. Jacob só reconheceu o ajudante de campo, que estava encostado ao lado do busto do penúltimo imperador, quando ele se virou. Donnersmarck. Ele acompanhara Jacob em três expedições para a imperatriz. Duas delas haviam sido bem-sucedidas e rendido muito dinheiro a Jacob e uma condecoração ao oficial. Eles eram amigos, mas o olhar que lançou para Jacob nada revelava disso. Em seu uniforme branco, havia algumas medalhas a mais que no último encontro deles, e quando ele andou na direção do general, Jacob viu que arrastava a perna esquerda. Comparada à guerra, a caça de tesouros era um prazer inofensivo.

— Entrada não autorizada no palácio. Ameaça a meus hóspedes. Um de meus espiões nocauteado.

A imperatriz pôs de lado a caneta-tinteiro e fez um sinal para que o anão que estava ao lado da escrivaninha se aproximasse. Enquanto afastava a cadeira para ela, não tirou os olhos de Jacob. No decorrer dos anos, os anões do imperador da Austrásia haviam impedido mais de uma dúzia de atentados, e Teresa sempre tinha pelo menos três deles ao seu lado. Dizia-se que eles até mesmo conseguiam enfrentar gigantins.

Auberon, o favorito da imperatriz, ajeitou seu vestido antes de ela se erguer detrás da escrivaninha. Ela ainda era magra como uma jovem.

— O que isso significa, Jacob? Você não estava incumbido de encontrar uma ampulheta? Em vez disso, vem ao meu palácio duelar com o guarda-costas do meu futuro genro?

Jacob baixou a cabeça. Ela não gostava que olhassem em seus olhos.

— Não tive escolha. Ele me atacou e eu me defendi.

Seu braço ainda sangrava. A nova assinatura de seu irmão.

— Expulsai-o, Majestade — disse um dos ministros. — Ou, melhor ainda, mandai fuzilá-lo para comprovar vossa vontade de paz.

— Imagine — retrucou a imperatriz, irritada. — Como se essa

guerra já não tivesse me custado o suficiente. Ele é um dos melhores caçadores de tesouros que tenho! Ele é melhor que Chanute.

Ela chegou tão perto de Jacob que ele sentiu seu perfume. Dizia-se que ela mandava colocar uma papoula encantada dentro dele. Quem o inalasse muito profundamente fazia não importava o que se exigisse dele — e achava que havia sido sua própria decisão.

— Alguém o pagou? Alguém que não está satisfeito com essa paz? Pois diga a essa pessoa: a mim ela também não agrada.

— Majestade! — Os ministros olharam alarmados para a porta, como se os goyls estivessem escutando atrás dela.

— Oh, fiquem quietos! — repreendeu-os a imperatriz. — Estou pagando por ela com a minha filha.

Jacob olhou para Donnersmarck, mas ele evitou seu olhar.

— Ninguém me pagou — ele disse. — E não tem nada a ver com vossa paz. Estou aqui por causa da fada.

O rosto da imperatriz ficou quase tão impassível quanto o de sua filha.

— A fada?

Ela se esforçou para parecer indiferente, mas sua voz a traía. Ódio e repulsa. Jacob ouviu as duas coisas. E raiva. Raiva por temer tanto a fada.

— O que você quer com ela?

— Dai-me cinco minutos sozinho com ela. Não vos arrependereis, majestade. Ou vossa filha aprecia que o noivo tenha trazido sua amante sombria?

Cuidado, Jacob. Mas estava desesperado demais para ser cuidadoso. Ela havia roubado seu irmão. E ele o queria de volta.

A imperatriz trocou um olhar com seu general.

— Tão irreverente quanto o seu mestre — ela disse. — Chanute falava com meu pai nesse mesmo tom impertinente.

— Cinco minutos apenas — respondeu Jacob. — O feitiço dela vos custou a vitória! E milhares de súditos!

Ela olhou para ele pensativa.

— Majestade — disse o general, e se calou quando ela lhe lançou um olhar de advertência.

Ela se virou e voltou para a escrivaninha.

— Você chegou tarde demais — ela disse com desprezo, dirigindo-

-se a Jacob. — Já assinei o tratado. Digam aos goyls que ele tinha inalado pó élfico — ela ordenou enquanto um dos guardas pegava o braço de Jacob. — Levem-no até o portão, e deem ordem para não deixá-lo entrar novamente.

    — E, Jacob — ela exclamou quando os anões abriram as portas —, esqueça a ampulheta. Eu quero um saco de desejos!

45
Velhos tempos

Jacob não sabia mais como voltar ao hotel. Em todas as vitrines pelas quais passava, pensava ver o rosto transtornado pelo ódio do irmão, e cada mulher que vinha em sua direção transformava-se na Fada Escura.

Não podia ser o fim. Ele a encontraria. No casamento. Na estação, quando ela embarcasse no trem negro de ônix com o amante recém-casado. Ou no palácio suspenso, apesar das serpentes.

Jacob não sabia mais ao certo o que o movia: o desejo de vingança, a esperança de ter Will de volta apesar de tudo, ou simplesmente apenas seu orgulho ferido.

No saguão de entrada do hotel, entre malas e pajens apressados, os hóspedes recém-chegados esperavam. Todos vinham para o casamento. Havia até mesmo alguns goyls entre eles. Eles atraíam mais olhares que a irmã mais nova da imperatriz.

Ela viera do leste sem a companhia do príncipe, seu esposo, e usava um casaco de pele preto, como se estivesse em luto pelo casamento da sobrinha.

O casamento aconteceria na manhã seguinte, conforme Jacob já se informara. Na catedral, na qual Teresa da Austrásia também se casara e, antes dela, seu pai.

A camareira havia lavado e remendado suas roupas, e Jacob carregava-as debaixo do braço quando abriu a porta do quarto. Ele as deixou cair quando viu o homem diante da janela, mas Donnersmarck virou-se antes que ele sacasse a pistola. Seu uniforme era tão impecavelmente branco como se quisesse fazer esquecer que a lama e o sangue eram as cores de um soldado.

— Existe algum lugar ao qual o ajudante de campo da imperatriz não tem acesso? — perguntou Jacob enquanto recolhia as roupas e fechava a porta atrás de si.

— A câmara secreta de um Barba-Azul. Ali os seus talentos são mais úteis do que o uniforme.

Donnersmarck mancou em direção a Jacob.

— O que você tem a ver com a Fada Escura?

Fazia quase um ano que eles não se viam, mas escapar juntos de um Barba-Azul ou procurar os cabelos de um diabo cria uma ligação que não se rompe tão facilmente. Jacob passara com Donnersmarck por tudo isso e algumas coisas mais. O cabelo do diabo eles nunca encontraram, mas o oficial o salvara do lobo-pardo que vigiava o sapatinho de cristal, e Jacob impedira que ele fosse morto por um porrete-pule-do-saco.

— O que aconteceu com sua perna?

Donnersmarck parou diante dele.

— O que você acha? Tivemos uma guerra.

Sob a janela, rangiam as carruagens de aluguel. Cavalos relinchavam, cocheiros praguejavam. Nada muito diferente do outro mundo. Mas, sobre um buquê de rosas que estava em cima do criado-mudo, zuniam dois elfos do tamanho de um marimbondo. Muitos hotéis os usavam nos quartos, porque seu pó proporcionava bons sonhos.

— Vim aqui com uma pergunta. Você certamente pode imaginar em nome de quem a faço.

Donnersmarck espantou uma mosca do uniforme branco.

— Se você obtivesse os cinco minutos, depois disso o rei dos goyls ainda teria uma amante?

Jacob precisou de alguns instantes para compreender o que tinha ouvido.

— Não — respondeu. — Ele nunca mais a veria.

Donnersmarck olhou para Jacob como se quisesse ler em sua mente o que ele pretendia fazer. Finalmente apontou para o seu pescoço.

— Você não está mais usando o medalhão. Por acaso fez as pazes com a irmã vermelha?

— Fiz. E ela me revelou o que torna a escura vulnerável.

O amigo endireitou a espada. Ele era um excelente esgrimista, mas a perna dura provavelmente alterara isso.

— Você faz as pazes com uma irmã para declarar guerra à outra. É sempre assim com a paz, não é? Sempre contra alguém. Sempre lançando a semente da próxima guerra.

Ele mancou até a cama e sentou.

— Então resta apenas o motivo. Sei que esta guerra é indiferente para você. Para que então quer arriscar ser morto pela Fada Escura?

— O goyl de jade que protege o rei é meu irmão.

As palavras pareciam tornar o fato uma verdade definitiva.

Donnersmarck massageou a perna ferida.

— Não fazia ideia de que você tinha um irmão. Mas, se eu pensar bem, deve haver muitas coisas que não sei sobre você. — Ele olhou para a janela. — Sem a fada, teríamos ganhado essa guerra.

Não, vocês não teriam, pensou Jacob. *Porque o rei deles entende mais de guerra que vocês todos. Porque o meu pai lhes mostrou como fazer melhores espingardas. Porque eles fizeram dos anões seus aliados. E porque vocês vêm provocando sua ira há séculos.*

Donnersmarck também sabia de tudo isso. Mas era muito mais confortável atribuir toda a culpa à fada. Ele se ergueu e andou novamente até a janela.

— Todas as noites, depois que o sol se põe, ela vai ao jardim imperial. Kami'en manda revistá-lo antes, mas seus homens não são lá muito rigorosos. Eles sabem que ninguém pode fazer nada contra ela.

Ele se virou para Jacob.

— E se nada puder ajudar seu irmão? E se ele permanecer um deles?

— Um deles em breve estará casado com a filha da sua imperatriz.

Donnersmarck não respondeu. Lá fora no corredor soavam vozes. Ele esperou até que elas silenciassem.

— Assim que escurecer, eu lhe enviarei dois de meus homens. Eles o levarão até o jardim.

Ele passou mancando por Jacob, mas ao chegar à porta parou mais uma vez.

— Já lhe mostrei esta aqui? — Ele passou a mão numa das medalhas em sua jaqueta, uma estrela com o símbolo da rainha no meio. — Eles me condecoraram depois que encontramos o sapatinho de cristal. Depois que *você* o encontrou.

Ele olhou para Jacob.

— Estou aqui em meu uniforme. Espero que você saiba o que isso significa. Mas também me considero seu amigo, embora eu saiba que você não gosta de usar essa palavra. Seja lá o que você sabe sobre a Fada Escura... É suicídio o que pretende fazer. Sei que você escapou da irmã dela e sobreviveu. Mas esta fada é diferente. Ela é mais perigosa que tudo com que você já se deparou. É melhor partir em busca do saco de desejos ou da árvore da vida. Do cavalo de fogo, de um homem-cisne, seja lá do que for. Mande-me de volta para o palácio com a resposta de que pensou melhor. Concorde com a paz. Assim como todos nós deveríamos fazer.

Jacob viu uma advertência em seu olhar. E um pedido.

Mas ele sacudiu a cabeça.

— Estarei aqui quando escurecer.

— Claro que estará — disse Donnersmarck.

E saiu pela porta.

46
A irmã escura

Já fazia uma hora que escurecera, mas o corredor diante do quarto de Jacob continuava em silêncio, e ele já temia que Donnersmarck quisesse protegê-lo de si mesmo quando finalmente bateram à porta. Mas não eram os soldados imperiais que estavam diante dele, e sim uma mulher.

Jacob quase não reconheceu Fux. Ela usava um sobretudo preto sobre o vestido e os cabelos presos no alto da cabeça.

— Clara quis ver seu irmão uma última vez. — Sua voz não soava a ruas iluminadas, mas a floresta e a pelo de raposa. — Ela convenceu o anão a ir com ela ao casamento amanhã.

Ela passou as mãos no sobretudo.

— Estou muito ridícula?

Jacob puxou-a para dentro do quarto e fechou a porta.

— Por que você não convenceu Clara a desistir?

— Por que eu deveria?

Ele estremeceu quando ela tocou seu braço ferido.

— O que aconteceu?

— Nada.

— Clara disse que você quer encontrar a Fada Escura. — Ela segurou seu rosto entre as mãos. Mãos tão pequenas ainda, como as de uma menina. — É verdade, Jacob?

Os olhos castanhos viam o coração de Jacob. Fux sempre sentia quando ele mentia, mas dessa vez ele tinha que enganá-la, ou ela iria atrás dele, e Jacob sabia que poderia se perdoar muita coisa, mas não perdê-la por sua própria causa.

— É verdade. Eu pretendia — ele disse. — Mas eu vi Will. Você tem razão. Está tudo acabado.

Acredite em mim, Fux. Por favor.

Dessa vez eram os soldados de Donnersmarck que batiam novamente na porta.

— Jacob Reckless? — Os dois soldados que estavam na porta não eram muito mais velhos que Will.

Jacob arrastou Fux para o corredor.

— Vou sair para beber com Donnersmarck. Se quiser ir com Clara ao casamento amanhã, fique à vontade. Eu vou pegar o próximo trem para Schwanstein.

Os olhos dela passaram dele para os soldados. E a fada com certeza já se encontrava no jardim imperial.

Ela não acreditou. Ele viu em seu rosto. Mas também como? Ninguém o conhecia melhor. Nem mesmo ele próprio. Ela parecia tão vulnerável em roupas humanas, mas iria atrás dele. Não importava o que ele dissesse.

Ela ficou calada enquanto seguia os soldados em direção ao elevador. Ela ainda estava zangada por causa da água de cotovias. Ele sentia isso. E logo ela ficaria ainda mais furiosa.

— Você não está nem um pouco ridícula nesse sobretudo — ele disse quando ela parou diante do elevador. — Você está muito bonita. Mas eu gostaria que não tivesse vindo.

— Esta mulher não pode me acompanhar — ele disse para os soldados. — Um de vocês precisa ficar com ela.

Fux tentou se transformar, mas Jacob segurou seu braço. Pele contra pele, isso retinha o pelo. Ela tentou desesperadamente se libertar, mas

Jacob não a soltou e pôs a chave de seu quarto na mão de um dos soldados. Ele era largo como um armário, apesar do rosto de criança, e com certeza vigiaria Fux muito bem.

— Cuide para que ela não saia do meu quarto antes de amanhecer — ele ordenou. — E preste muita atenção. Ela pode se transformar numa raposa.

O soldado não pareceu muito feliz com a tarefa, mas assentiu com a cabeça e segurou o braço de Fux. O desespero em seu rosto doía, mas a ideia de perdê-la doía ainda mais.

— Ela vai matá-lo!

Seus olhos afundaram em raiva e lágrimas.

— Talvez — disse Jacob. — Mas não vai adiantar nada se ela fizer o mesmo com você.

O soldado arrastou-a de volta para o quarto. Ela se debatia como a raposa teria feito e quase conseguiu se soltar quando chegaram à porta.

— Jacob! Não vá!

Ele ainda ouviu sua voz quando o elevador parou no saguão de entrada. E por um momento quis realmente voltar para o quarto, apenas para apagar a raiva e o medo do rosto dela.

O outro soldado estava visivelmente aliviado por não ter sido escolhido para cuidar de Fux, e, no caminho para o palácio, Jacob soube que ele vinha de uma aldeia do sul, ainda achava emocionante a vida de soldado e obviamente não fazia a menor ideia de quem Jacob esperava encontrar no jardim imperial.

O grande portão nos fundos do palácio era aberto para o povo apenas uma vez por ano. Seu guia precisou de uma eternidade até finalmente conseguir destravar o cadeado, e mais uma vez Jacob sentiu falta da chave mágica e de todos os outros objetos que havia perdido na fortaleza dos goyls. O soldado fechou de novo a corrente quando Jacob entrou, mas se postou na calçada de costas para o portão. Afinal, Donnersmarck ia querer saber se Jacob havia conseguido sair.

Ao longe, ecoavam os ruídos da cidade: carruagens e cavalos, bêbados, vendedores ambulantes, e os gritos de alerta dos guardas-noturnos. Mas atrás dos muros do jardim rumorejavam as fontes da imperatriz, e nas árvores cantavam os rouxinóis artificiais que ela ganhara de uma de suas irmãs em seu último aniversário. No palácio, ainda ardiam luzes atrás de algumas janelas, mas nas sacadas e nas escadas estava assustadoramente calmo para a véspera de um casamento imperial, e Jacob tentou não se perguntar onde estaria Will naquele instante.

Era uma noite fria, e suas botas deixavam pegadas escuras nos gramados esbranquiçados pela geada, mas a grama absorvia o barulho de seus passos muito melhor que os caminhos cobertos de pedregulhos. Jacob não procurou por rastros da Fada Escura. Ele sabia para onde ela tinha ido. No coração do jardim imperial, havia um lago, cuja superfície era cheia de lírios como o lago das fadas, e também ali salgueiros se debruçavam sobre a água escura.

A fada estava em pé na margem do lago, e a luz das estrelas aderia a seus cabelos. As duas luas acariciavam sua pele, e Jacob notou que o ódio que sentia se afogava em sua beleza. Mas a lembrança do rosto petrificado de Will trouxe-o de volta rapidamente.

Ela se virou quando ouviu seus passos, e ele abriu o sobretudo preto para que a camisa branca debaixo dele ficasse visível, como a Fada Vermelha aconselhara. "Branco como a neve. Vermelho como o sangue. Preto como ébano." Ainda faltava uma cor.

Com um gesto rápido, a Fada Escura soltou os cabelos, e suas mariposas voaram na direção dele. Mas Jacob já passara a faca sobre o braço e limpava o sangue na camisa branca. As mariposas recuaram atarantadas, como se ele tivesse queimado suas asas.

— Branco, vermelho, negro... — ele disse enquanto esfregava a lâmina na manga. — As cores da Branca de Neve. Meu irmão sempre as chamou assim. Ele adorava esse conto de fadas. Mas quem diria que elas eram tão poderosas?

— Como você sabe das três cores? — A fada deu um passo para trás.

— Sua irmã me contou.

— Ela revela nossos segredos a você em agradecimento por tê-la abandonado?

Não olhe para ela, Jacob. Ela é bonita demais.

A fada tirou os sapatos e aproximou-se da água. Jacob sentiu seu poder tão nitidamente quanto o frio da noite.

— Parece que o que você fez é mais difícil de perdoar — ele disse.

— Pois é, elas ainda estão revoltadas por eu ter partido. — Ela riu baixinho, e as mariposas enfiaram-se de novo em seus cabelos. — Mas não consigo imaginar o que ela pensa ganhar contando a você sobre as três cores. Como se eu precisasse das mariposas para matá-lo.

Ela recuou até a água do lago envolver seus pés descalços, e a noite começou a tremeluzir como se o próprio ar se transformasse em água negra.

Jacob sentiu como ficava difícil respirar.

— Quero o meu irmão de volta.

— Por quê? Eu apenas fiz dele o que ele sempre deveria ter sido. — A fada jogou os longos cabelos para trás. — Sabe o que eu acho? Minha irmã ainda está muito apaixonada por você para matá-lo ela própria. Então o enviou até mim!

Ele sentiu como sua beleza o fazia esquecer tudo, o ódio, que o levara até ali, o amor por seu irmão e a si mesmo.

Não olhe para ela, Jacob!

Ele apertou o braço ferido para que a dor o protegesse. A dor da espada de seu irmão. Ele apertou tão firme que o sangue escorreu em sua camisa, e ele viu novamente o rosto de Will desfigurado pelo ódio. Seu irmão perdido.

A fada se pôs a andar em sua direção.

Isso. Aproxime-se.

— Você é realmente tão arrogante assim para acreditar que pode vir até aqui me fazer exigências? — ela disse, e parou bem perto dele. — Você acha que, porque uma fada não consegue resistir a você, isso vai acontecer com todas nós?

— Não. Não é isso — disse Jacob.

Os olhos da fada se arregalaram quando ele segurou seu braço alvo. A noite estendia-se como uma teia de aranha ao redor de sua boca, mas ele pronunciou o nome da fada antes que ela pudesse paralisar sua língua.

Ela o empurrou e ergueu as mãos, como se ainda pudesse repelir as sílabas fatais. Mas seus dedos já se transformavam em galhos, e seus pés lançavam raízes. Seus cabelos tornaram-se folhas, sua pele, a casca do tronco, e seu grito soou como o vento nas folhas de um salgueiro.

— É um belo nome — disse Jacob enquanto andava entre os galhos pendentes. — Uma pena que só se pode pronunciá-lo em seu reino. Você já o revelou para o seu amante?

O salgueiro gemeu, e seu tronco curvou-se sobre o rio, como se ela chorasse sobre seu reflexo.

— Você deu a meu irmão uma pele de pedra. Eu lhe dou uma de

casca de árvore. Parece uma troca justa, não? — Jacob fechou o sobretudo sobre a camisa manchada de sangue. — Agora vou procurar Will. E, se a pele dele ainda for de jade, eu voltarei e porei fogo em suas raízes.

Jacob não sabia dizer de onde vinha a voz. Talvez estivesse apenas em sua cabeça, mas ele a ouvia com tal clareza, como se ela sussurrasse cada palavra em seu ouvido.

— Liberte-me e eu darei a seu irmão sua pele humana de volta.

— Sua irmã me disse que você prometeria isso. E que eu não deveria acreditar em você.

— Traga-o até mim, e eu provarei!

— Sua irmã me aconselhou a fazer mais uma coisa.

Jacob pôs a mão nos galhos e colheu um punhado das folhas prateadas. O salgueiro gemeu quando ele as envolveu com seu lenço.

— Eu deveria levar essas folhas para a sua irmã — disse Jacob. — Mas acho que vou ficar com elas e trocar pela pele de meu irmão.

O lago era um espelho de prata, e a mão com a qual ele tocara o braço da fada parecia congelada.

— Eu o trarei até você — ele disse. — Ainda esta noite.

Mas um calafrio percorreu a ramagem do salgueiro.

— Não! — sussurraram as folhas. — Não antes que o casamento tenha acabado! Kami'en precisa dele! Ele precisa ficar ao lado dele até que o casamento tenha terminado.

— Por quê?

— Prometa ou não o ajudarei.

Jacob ainda ouvia sua voz quando o lago já havia desaparecido atrás das sebes.

— Prometa!

Muitas e muitas vezes.

47
Os gabinetes de curiosidades da imperatriz

Eu o trarei até você. Mas como? Já devia fazer pelo menos uma hora que Jacob estava atrás dos estábulos que havia entre os jardins e o palácio e observava as janelas da ala norte. Ali as luzes ainda estavam acesas — luz de vela, como gostavam os goyls —, e por um momento ele pensou ter visto o rei atrás de uma janela. Ele esperava a amante. Na véspera de seu casamento.

Eu o trarei até você. Mas como, Jacob?

Foi um brinquedo que deu a resposta a Jacob. Uma bola suja, que estava entre os baldes usados pelos criados para dar de beber aos cavalos. *Claro, Jacob. A bola de ouro.*

Ele próprio a vendera à imperatriz três anos antes. A bola era um de seus tesouros favoritos e ficava num dos gabinetes de curiosidades. Mas nenhum guarda deixaria Jacob entrar novamente no palácio, e a gosma de sumiço fora confiscada pelos goyls.

Ele levou mais uma hora para encontrar um dos caracóis que produziam a gosma. Os jardineiros imperiais matavam todos que encontravam, mas Jacob acabou descobrindo dois deles sob a borda de um chafariz coberta de musgo. Suas casas já estavam voltando a ficar visíveis, e a gosma surtiu efeito assim que ele a passou debaixo do nariz. Não era muito, mas para uma ou duas horas seria suficiente.

Na entrada utilizada por fornecedores e mensageiros, havia apenas um guarda encostado no muro, e Jacob conseguiu passar por ele sem despertá-lo de sua soneca.

Nas cozinhas e nas lavanderias trabalhava-se até mesmo durante a noite, e uma das criadas sonolentas parou assustada quando o ombro invisível de Jacob a tocou. Mas logo ele chegou às escadas que levavam para longe dos criados e para perto dos patrões. Ele sentia a pele ir ficando dormente, pois usara a gosma poucos dias antes, mas felizmente não teve uma paralisia.

Os gabinetes de curiosidades ficavam na ala sul, a parte mais recente do palácio. Os seis salões que já ocupavam eram revestidos de lápis-lazúli, porque se dizia que essa pedra enfraquecia a potência mágica dos artefatos ali expostos. A família imperial sempre cultivara o gosto por objetos mágicos e tentara adquirir o maior número possível deles.

Fora somente o pai da imperatriz, contudo, que determinara por lei que objetos, animais e pessoas com propriedades mágicas fossem apresentados às autoridades. Afinal, não era fácil governar num mundo em que mendigos podiam ser transformados em príncipes por uma árvore de ouro e animais falantes sussurravam lições subversivas aos trabalhadores da floresta.

Não havia guardas diante das portas douradas. O avô da imperatriz contratara para a sua construção um ferreiro que aprendera o ofício com uma bruxa. Nas árvores douradas cujos galhos se espalhavam sobre as portas, ele enxertara galhos de árvores-de-bruxas, e quem abrisse as portas sem conhecer o segredo era espetado por eles. Os galhos saltavam da porta como lanças assim que se encostasse na fechadura, e, como as árvores na Floresta Negra, visavam os olhos em primeiro lugar. Mas Jacob conhecia o segredo para passar incólume por elas.

Ele parou bem perto das portas, sem tocar as maçanetas. Entre as folhas de ouro fundido, o ferreiro havia escondido um pica-pau. Sua plumagem coloriu-se como as penas de um pássaro vivo assim que Jacob soprou sobre o ouro, e as portas se abriram tão silenciosamente como se uma lufada de vento as tivesse impelido.

Os gabinetes de curiosidades da Austrásia.

O primeiro salão estava em boa parte preenchido por animais mágicos que haviam sucumbido como presas de caça da família imperial. Ao passar pelas vitrines que protegiam os corpos empalhados da poeira e das traças, Jacob teve a impressão de ser seguido pelos olhos de vidro. Um unicórnio. Lebres aladas. Um lobo-pardo. Cisnes-homens. Corvos encantados. Cavalos falantes. Naturalmente havia também uma raposa. Ela não era tão graciosa quanto Fux, mas assim mesmo Jacob não conseguiu olhar para ela.

O segundo gabinete continha artefatos provenientes de bruxas. Os gabinetes não faziam distinção entre as curandeiras e as devoradoras de crianças. Facas que haviam retirado carne humana de ossos repousavam ao lado de uma agulha que curava feridas com uma picada e de penas de coruja que faziam os cegos voltar a ver. Havia duas das vassouras nas quais as bruxas voavam tão depressa e tão alto quanto pássaros, e pães doces das casas mortíferas de suas irmãs devoradoras de gente.

Nas vitrines do terceiro gabinete estavam expostas escamas de ninfas e tritões, que permitiam mergulhar muito profundamente e por muito tempo a quem as mantivesse sob a língua. Ali também se podiam encontrar escamas de dragões de todas as cores e tamanhos. Em quase toda parte daquele mundo havia boatos sobre supostos exemplares ainda vivos. O próprio Jacob uma vez vira no céu uma sombra que se parecia de maneira suspeita com o corpo mumificado exposto no quarto gabinete. Só a cauda ocupava quase meia parede, e os dentes e as garras gigantescas deixaram Jacob quase grato à família imperial por ter exterminado a espécie.

A bola que ele procurava estava no quarto gabinete, sobre uma almofada de veludo preto. Jacob a encontrara na caverna de um tritão, ao lado da filha raptada de um padeiro. Ela não era muito maior que um ovo de galinha, e a descrição colada no veludo soava quase como o conto de fadas sobre uma bola de ouro que era narrado no outro mundo.

Originalmente, o brinquedo favorito da filha caçula de Leopoldo, o Generoso, com o qual ela encontrou seu noivo (futuro Venceslau II) e libertou-o de um feitiço de sapo.

Mas essa não era toda a verdade. A bola era uma armadilha, que atraía para o seu interior todos os que a agarravam no ar e somente os libertava quando o ouro era polido.

Jacob arrombou a vitrine com a faca e por um instante ficou tentado a levar outros objetos, que poderiam encher a arca na estalagem de Chanute, mas a imperatriz já ficaria bastante aborrecida por causa da bola. Jacob acabara de enfiá-la no bolso do sobretudo quando os lampiões do primeiro gabinete se acenderam. Seu corpo começava a ficar visível novamente, e ele se escondeu depressa atrás de uma vitrine onde havia uma bota de sete léguas de couro de salamandra, já bastante gasta, que Chanute vendera ao pai da imperatriz (o outro pé estava no gabinete de curiosidades do rei de Álbion). Passos ecoaram pelos salões, e finalmente Jacob ouviu alguém mexer nas vitrines. Mas não conseguiu ver quem era e não ousou se mover, com medo de que seus passos o denunciassem. Quem quer que fosse não se demorou muito. A luz se apagou, as portas pesadas se fecharam, e Jacob estava de novo sozinho na escuridão.

Ele estava terrivelmente nauseado por causa da gosma, mas não pôde deixar de andar ao longo das vitrines para descobrir o que o outro visitante noturno buscara ali. Faltavam a agulha de bruxa com propriedades curativas, duas garras de dragão, das quais se dizia proteger contra ferimentos, e um pedaço de pele de tritão, à qual se atribuía o mesmo efeito. Jacob não conseguiu atinar com o sentido daquilo, até que se deu por satisfeito com a explicação de que a imperatriz queria presentear o noivo com alguns objetos mágicos, para se assegurar de que ele não fosse em breve substituído por um goyl menos afeito à paz.

Quando as portas douradas se fecharam atrás dele, Jacob já estava se sentindo tão mal que quase vomitou. Estava com cãibras — o primeiro sinal da paralisia que a gosma podia causar —, e os corredores do palácio não tinham fim. Jacob decidiu segui-los de volta até o jardim. Os muros que o separavam da rua eram altos, mas também dessa vez a corda de Rapunzel não o deixou em apuros. Pelo menos uma coisa útil lhe restara.

O homem de Donnersmarck ainda estava do outro lado do portão, mas não notou quando Jacob passou furtivamente por ele. O corpo de Jacob ainda estava indefinido como o de um fantasma, e um guarda-noturno que fazia a ronda deixou cair a lanterna, assustado com a visão.

Felizmente ele já estava outra vez bastante visível quando chegou ao hotel. Cada passo era custoso, e seus dedos quase não queriam se dobrar.

Ele ainda conseguiu entrar no elevador e, só quando estava na porta do quarto, lembrou-se de Fux.

Ele teve de bater com tanta força que dois hóspedes puseram a cabeça para fora de seus quartos, antes que o soldado finalmente abrisse. Jacob passou cambaleando por ele e vomitou no banheiro. Fux não estava à vista.

— Onde ela está? — perguntou Jacob quando saiu do banheiro. Ele teve de se apoiar na parede para que os joelhos não cedessem.

— Trancada no armário! — O soldado mostrou-lhe a mão envolvida por um lenço ensanguentado, com um ar acusador. — Ela me mordeu!

Jacob o empurrou para o corredor.

— Diga a Donnersmarck que cumpri o prometido.

Exausto, ele se apoiou na porta. Um dos elfos que ainda voava pelo quarto depositou um pouco de pó prateado em seu ombro. *Bons sonhos, Jacob.*

Fux usava o pelo e arreganhou os dentes quando ele abriu o armário. Caso se sentisse aliviada por vê-lo, ela disfarçou bem.

— Foi a fada? — ela perguntou quando viu a camisa manchada de sangue, e observou impassível como ele tentava despi-la sem sucesso. Os dedos dele agora já estavam duros como pedaços de pau.

— Isso está cheirando a gosma de sumiço.

Fux lambeu o pelo, como se ainda sentisse o local onde o soldado tentara pegá-la.

Jacob sentou-se na cama enquanto ainda podia. Seus joelhos também já estavam rígidos.

— Ajude-me, Fux. Preciso ir ao casamento amanhã e mal consigo me mexer.

Ela olhou para ele tão longamente que Jacob pensou que tivesse desaprendido a falar.

— Uma mordida bem forte talvez pudesse ajudá-lo — ela disse finalmente. — E admito que para mim seria um prazer. Mas antes você me conta o que pretende fazer.

48
Planos para o casamento

A primeira luz da manhã rebrilhava sobre os telhados da cidade, e a imperatriz não tinha dormido. Ela esperara, hora após hora; quando finalmente um dos anões introduziu Donnersmarck na sala de audiências, seu rosto escondia toda a espera e a ansiedade atrás de uma máscara de pó de arroz.

— Ele conseguiu. O rei já mandou procurar a fada, mas, se Jacob disse a verdade, não vai encontrá-la.

Donnersmarck não parecia muito feliz com a notícia que trouxera, mas o coração de Teresa bateu mais depressa, pois era a notícia que esperava receber.

— Ótimo. — Ela passou a mão nos cabelos esticados e presos atrás da cabeça. Eles estavam ficando grisalhos, mas ela mandava tingi-los. De dourado, como os de Amália. Ela ficaria com a filha. E também com o trono. E com seu orgulho.

— Dê as ordens planejadas.

Donnersmarck baixou a cabeça, como fazia sempre que não concordava com uma ordem.

— O que foi?

— Podeis matar o rei dos goyls, mas seus exércitos ainda estão a menos de vinte milhas de distância.

— Sem Kami'en e a fada, eles estão perdidos.

— Um goyl de ônix entrará em seu lugar.

— E fará a paz! Os goyls de ônix querem reinar apenas sob a terra. — Ela própria ouviu como sua voz soou impaciente. Ela não queria pensar, queria agir. Antes que passasse a oportunidade.

— Mas suas cidades subterrâneas estão superlotadas. E seu povo vai querer vingança. Eles veneram seu rei!

Ele era tão teimoso. E estava farto da guerra. Porém, nenhum outro era mais inteligente que ele. E íntegro.

— Não quero repetir novamente. Dê as ordens planejadas!

Ela acenou para um de seus anões.

— Mande trazer o café da manhã. Estou faminta.

O anão saiu em disparada, e Donnersmarck ainda não se mexera.

— E quanto ao irmão dele?

— O que tem? Ele é o guarda-costas do rei. Portanto, espero que morra junto com ele. Você trouxe os objetos para a minha filha?

Donnersmarck os colocou sobre a mesa à qual ela se sentara tantas vezes com o pai quando criança e o observara assinar e selar tratados e sentenças de morte. Agora era ela quem possuía o carimbo imperial.

Uma agulha de curar, uma garra de dragão e uma pele de tritão. Teresa da Austrásia se aproximou da mesa e passou os dedos na escama verde-pálida que um dia cobrira a mão de um tritão.

— Mande costurar a garra e a pele dentro do vestido de noiva de minha filha — ela ordenou à camareira que esperava ao lado da porta. — E dê a agulha para o médico que estará a postos dentro da igreja, na sacristia.

Donnersmarck entregou-lhe mais uma garra.

— Esta é para vós.

Ele bateu continência e deu meia-volta.

— E quanto a Jacob? Você mandou prendê-lo?

Donnersmarck parou, como se ela tivesse jogado um cadáver em seu caminho. Mas, quando se virou, seu rosto estava tão impassível quanto o dela.

— O soldado que o esperou diante do portão afirma que ele não voltou. No palácio também não o encontramos.

— E que mais? Vocês vigiaram o hotel?

Ele olhou nos olhos dela, mas ela não conseguiu ler seu olhar.

— Sim. Ele não está lá.

A imperatriz acariciou a garra de dragão em sua mão.

— Encontre-o. Você sabe como ele é. Quando o casamento tiver terminado, pode soltá-lo novamente.

— Então será tarde demais para o irmão dele.

O anão chegou com o café da manhã.

— Já é tarde demais para ele. Ele é um goyl.

Lá fora, o dia clareava, e a noite havia levado consigo a Fada Escura. Estava na hora de recuperar o que sua magia havia lhe roubado. Quem queria a paz quando podia vencer?

49
Um deles

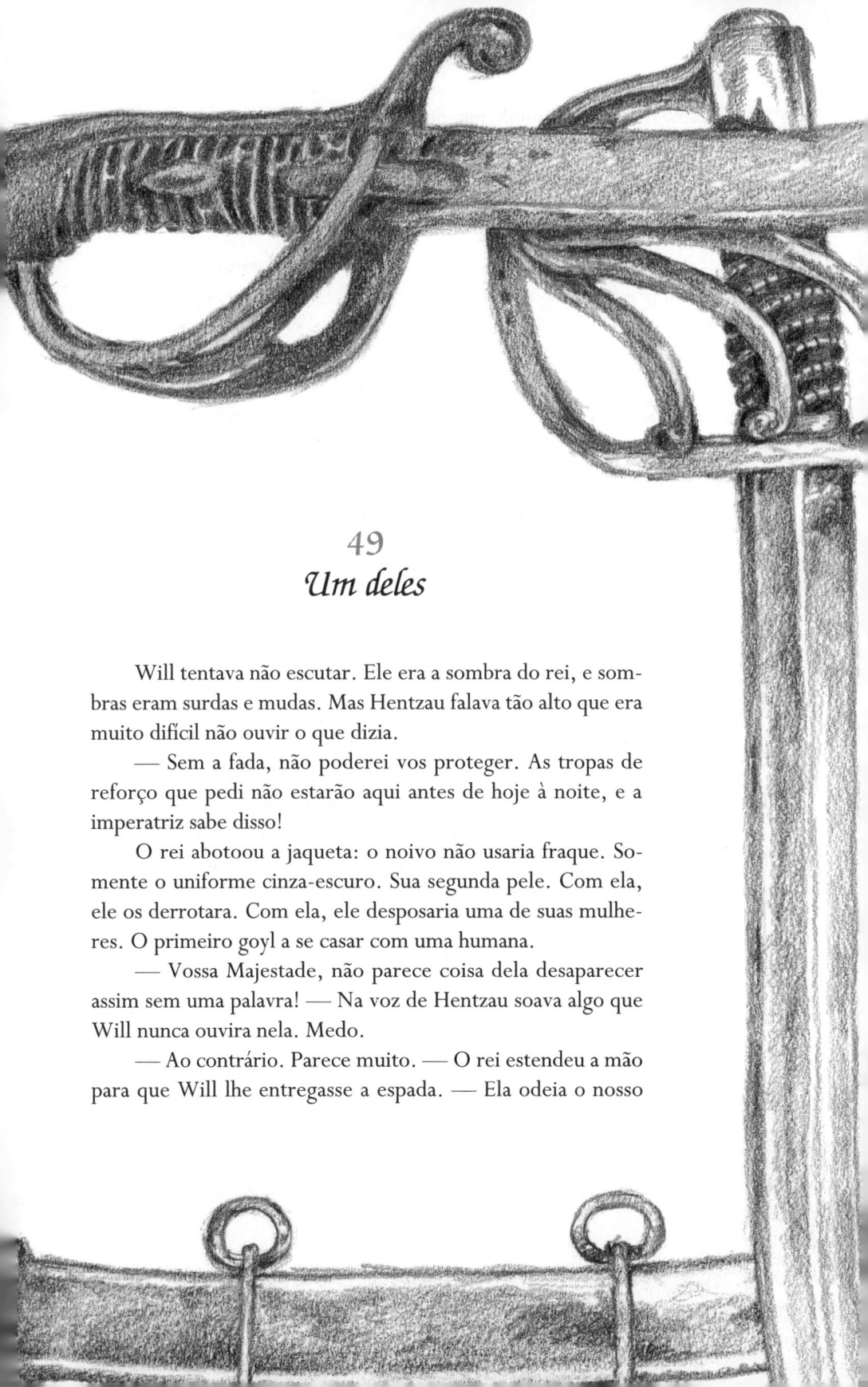

Will tentava não escutar. Ele era a sombra do rei, e sombras eram surdas e mudas. Mas Hentzau falava tão alto que era muito difícil não ouvir o que dizia.

— Sem a fada, não poderei vos proteger. As tropas de reforço que pedi não estarão aqui antes de hoje à noite, e a imperatriz sabe disso!

O rei abotoou a jaqueta: o noivo não usaria fraque. Somente o uniforme cinza-escuro. Sua segunda pele. Com ela, ele os derrotara. Com ela, ele desposaria uma de suas mulheres. O primeiro goyl a se casar com uma humana.

— Vossa Majestade, não parece coisa dela desaparecer assim sem uma palavra! — Na voz de Hentzau soava algo que Will nunca ouvira nela. Medo.

— Ao contrário. Parece muito. — O rei estendeu a mão para que Will lhe entregasse a espada. — Ela odeia o nosso costume de ter várias mulheres, mesmo sabendo que tem o direito de ter outros homens.

Ele afivelou a espada no cinto adornado com prata e se pôs diante do espelho que havia ao lado da janela. O vidro cintilante fez Will se lembrar de alguma coisa. Mas de quê?

— Provavelmente ela planejou assim desde o começo, e por isso mandou procurar o goyl de jade para mim. E caso ela esteja realmente certa — o rei acrescentou, com um olhar para Will —, só preciso dele perto de mim para estar seguro.

"Não saia do lado dele." A fada dissera isso tantas vezes que Will ouvia as palavras em seus sonhos. "Mesmo que ele o mande embora, não obedeça!"

Ela era tão bela. Mas Hentzau a odiava. Apesar disso, treinara Will conforme suas ordens — às vezes de forma dura, como se quisesse matá-lo. Felizmente, a pele goyl cicatrizava depressa, e o medo só o tornara um lutador melhor. No dia anterior, ele lutara com Hentzau e o desarmara. "O que foi que eu disse?", a fada lhe sussurrara. "Você nasceu para ser um anjo da guarda. Talvez um dia eu faça crescer asas nas suas costas." "Mas o que eu era antes?", Will perguntara. "Desde quando a borboleta pergunta pelo casulo?", ela perguntara em resposta. "Ela o esquece. E ama ser o que é."

Sim, era o que ele fazia. Will amava a insensibilidade de sua pele, seus membros fortes e infatigáveis, que tornavam os goyls tão superiores aos peles-macias — embora soubesse que fora feito da carne deles. Ainda se censurava por ter deixado escapar o homem que se infiltrara como um rato atrás das paredes do rei. Will não conseguia esquecer seu rosto: os olhos cinzentos sem ouro, os cabelos escuros e finos como fios de uma teia, a pele macia, que denunciava toda a sua fraqueza... Ele acariciou sua lisa mão de jade com um arrepio.

— A verdade é que você não quer esta paz. — O rei soou irritado, e Hentzau baixou a cabeça como um velho lobo diante do líder da matilha. — Você preferiria matar a todos. Cada um deles. Homens, mulheres e crianças.

— É verdade — respondeu Hentzau com a voz rouca. — Pois enquanto um só deles viver, vão querer fazer o mesmo conosco. Adie o casamento por um dia. Até que cheguem os reforços.

O rei vestiu as luvas sobre as garras pretas. Elas haviam sido confeccionadas com o couro de serpentes que viviam tão fundo debaixo da terra que até mesmo a pele dos goyls que as caçavam começava a derreter ali. A fada contara a Will sobre as serpentes. Ela lhe descrevera tantas coisas: as estradas dos mortos, as cachoeiras de arenito, lagos subterrâneos e campos de flores de ametista. Ele mal podia esperar para finalmente ver todas aquelas maravilhas com os próprios olhos.

O rei pegou o elmo e passou a mão sobre os chifres de lagartos que o enfeitavam.

— Você sabe muito bem o que eles diriam: "O goyl nos teme, porque não pode se esconder debaixo da saia de sua amante". E ainda: "Nós sempre soubemos que ele ganhou essa guerra apenas por causa dela".

Hentzau se calou.

— Está vendo? Você sabe que tenho razão. — O rei deu as costas para ele, e Will baixou depressa a cabeça quando ele veio em sua direção.

— Eu estava com ela quando ela sonhou com você — ele disse. — Eu vi o seu rosto nos olhos dela. Como se pode sonhar o que ainda não aconteceu e ver um homem com quem nunca nos encontramos antes? Ou foi o sonho dela que o criou? Será que ela semeou toda a carne de pedra apenas para o colher?

Will fechou os dedos em volta do cabo da espada.

— Acho que algo dentro de nós conhece a resposta, Vossa Majestade — ele disse. — Mas não há palavras para ela. Não vos decepcionarei. Isso é tudo o que sei. Eu juro.

O rei olhou para Hentzau.

— Ouça isso. Minha sombra de jade não é muda. Além de lutar, você finalmente também o ensinou a falar? — Ele sorriu para Will. — O que ela lhe disse? Que você deve estar ao meu lado até mesmo na hora do sim?

Will sentiu o olhar leitoso de Hentzau como geada sobre a pele.

— Ela disse isso? — repetiu o rei.

Will confirmou com a cabeça.

— Então assim será. — O rei se virou para Hentzau. — Mande preparar a carruagem. O rei dos goyls desposará uma mulher humana.

50
A bela e a fera

Casamento. Uma filha como pagamento e um vestido branco para esconder sob ele os sangrentos campos de batalha. As janelas da igreja coloriam a luz da manhã de azul, verde, vermelho e dourado, e Jacob estava atrás de uma das colunas decoradas com flores e observava como se enchiam as fileiras de bancos da catedral. Ele usava o uniforme da Guarda Imperial. O soldado do qual ele o roubara estava firmemente amarrado numa das vielas atrás da igreja, e ali entre as colunas havia tantos deles que um rosto estranho não chamaria a atenção de ninguém. Em seu uniforme, eles eram manchas brancas no mar de cores que afluía com os convidados. Os goyls, por sua vez, davam a impressão de que as pedras da catedral haviam tomado formas humanas. O ar frio dentro do grande edifício certamente não lhes agradava, mas a penumbra que nem mesmo milhares de velas gotejantes conseguiam dissipar parecia feita para eles. Will não precisaria esconder os olhos atrás de lentes de ônix para desempenhar seu novo papel. O goyl de jade. *Seu irmão, Jacob.*

Jacob apalpou a bola de ouro no bolso. *Não antes que o casamento tenha acabado.* Seria difícil esperar tanto tempo. Havia três noites ele quase não dormia, e seu braço doía da mordida com a qual Fux purgara de suas veias o veneno da gosma de sumiço.

Esperar...

Ele viu Valiant chegar com Fux e Clara pelo corredor central. O anão se barbeara, e mesmo os ministros imperiais que se apinhavam nos primeiros bancos não estavam mais bem vestidos que ele. Fux olhava ao redor enquanto seguia o anão, e seu rosto se iluminou quando avistou Jacob entre as colunas. No instante seguinte, contudo, a preocupação voltou. Fux não achava bom o seu plano. Mas também o que faria? Ele próprio não achava, mas era sua última chance. Se Will acompanhasse o rei e sua noiva de volta à fortaleza subterrânea, a Fada Escura nunca poderia provar se era capaz de quebrar o próprio feitiço.

Lá fora irrompeu um alarido. Soou como se o vento tivesse soprado na multidão que esperava havia horas diante da catedral.

Eles haviam chegado. Finalmente.

Goyls, anões, homens e mulheres, todos se viraram e olharam para o portal coroado com flores.

O noivo. Ele tirou os óculos pretos dos olhos e parou na porta por um momento. Um murmúrio se espalhou quando Will apareceu ao seu lado. Cornalina e jade. Pareciam feitos um para o outro, tanto que o próprio Jacob precisou lembrar que o irmão nem sempre tivera um rosto de pedra.

Com Will, eram seis guarda-costas que seguiam o rei. E Hentzau.

Na galeria, o órgão começou a tocar, e os goyls se dirigiram para o altar. Apesar da pele de pedra, eles deviam sentir o ódio que lhes era dirigido; o noivo, porém, parecia tão tranquilo como se estivesse em seu palácio suspenso, e não na principal cidade dos inimigos.

Will passou tão perto de Clara e Fux que elas poderiam tê-lo tocado, mas ele não as notou, e o rosto de Clara ficou tenso de dor. Fux pôs a mão em seu ombro num gesto consolador.

O noivo acabara de chegar aos degraus do altar quando a imperatriz apareceu. O vestido cor de marfim teria prestado todas as honras até mesmo à noiva. Os quatro anões que carregavam a cauda não dirigiram ao noivo um só olhar, mas a imperatriz sorriu para ele benevolente, antes de subir os degraus e sentar-se atrás da grade de madeira com rosas entalhadas que cercava o camarote imperial à esquerda do altar. Teresa da Austrásia sempre fora uma atriz muito talentosa.

A seguir, era a vez da noiva aparecer.

Era uma vez há muito tempo uma rainha que perdera uma guerra. Mas ela tinha uma filha.

Nem mesmo o órgão foi capaz de encobrir o alvoroço que anunciou a entrada de Amália. Não importava o que a multidão nas ruas pensasse sobre o noivo, o casamento de uma princesa imperial era sempre uma ocasião para celebrar e para sonhar com tempos melhores.

A princesa usava o belo rosto que o lírio das fadas lhe havia proporcionado como uma máscara; apesar disso, Jacob pensou distinguir algo como alegria naqueles traços tão perfeitos. Seus olhos estavam fixos no noivo de pedra, como se não tivesse sido a mãe, mas ela própria quem o escolhera.

Kami'en a esperava com um sorriso. Will ainda estava junto dele. *Ele precisa ficar ao seu lado até que o casamento tenha terminado...* Mais depressa, Jacob queria sussurrar para a princesa. Acabe logo com isso. Mas o mais graduado general de sua mãe a conduzia ao altar, e era evidente que ele não tinha pressa.

Jacob olhou para a imperatriz. Quatro de seus guardas cercavam o camarote. Além disso, os anões estavam com ela — e seu ajudante de campo. Donnersmarck sussurrou algo para a imperatriz e olhou para a galeria onde ficava o órgão. Mas Jacob não entendeu. *Cego e surdo, Jacob.*

A princesa ainda não havia dado uma dúzia de passos quando o primeiro tiro foi disparado. Ele partiu de um dos atiradores escondidos na galeria do órgão e seu alvo era o rei, mas Will o empurrou para o lado a tempo. O segundo tiro não atingiu Will por um triz. O terceiro acertou Hentzau. E a Fada Escura estava presa numa pele de casca de salgueiro no jardim imperial. *Perfeito, Jacob. Eles o usaram como a um cão amestrado.*

Aparentemente, a imperatriz ocultara seus planos de atentado tanto da filha quanto dos ministros, que, desesperados, buscavam proteção atrás do fino painel de madeira dos bancos. A princesa, porém, permaneceu em pé e olhou para a mãe. O general que a introduzira na igreja quis puxá-la consigo, mas ambos foram arrastados pelos convidados que saíam dos bancos apinhados. Para onde queriam ir? O portal da entrada já estava trancado. Talvez dessa maneira a imperatriz esperasse se livrar não apenas do rei dos goyls, mas também de alguns súditos indesejados.

Fux e Clara não estavam à vista em lugar algum, tampouco o anão, mas Will ainda estava em posição protetora diante do rei. Os guarda-costas haviam fechado um círculo de uniformes cinzentos ao redor de Kami'en. Os outros goyls tentavam chegar até eles, mas tombavam sob os tiros dos imperiais como lebres abatidas por um camponês em seu campo de restolhos.

E você tirou a fada do caminho para eles, Jacob. Ele tentou avançar até os degraus do altar, mas quando chegou lá um dos anões imperiais saltou na sua frente. Jacob deu uma cotovelada no rosto barbudo. Gritos, tiros, sangue na seda e no piso de mármore. Os imperiais estavam por toda parte. Apesar disso, os goyls se defendiam bem. E Will e o rei ainda estavam ilesos, por mais impossível que pudesse parecer. Dizia-se que antes da luta os goyls endureciam ainda mais a sua pele com calor e com o consumo de uma planta que cultivavam especialmente para esse fim. Pelo jeito, eles haviam tomado precauções semelhantes para as bodas de seu rei. O próprio Hentzau estava em pé novamente. Mas para cada goyl havia mais de dez imperiais.

Jacob fechou os dedos em volta da bola de ouro, mas era impossível lançá-la num alvo preciso. Will estava cercado de uniformes brancos, e Jacob mal podia erguer o braço sem que um dos combatentes se chocasse contra ele. Eles estavam perdidos. Will. Clara. Fux.

Mais um goyl tombou. O próximo foi Hentzau. E finalmente apenas Will estava diante do rei. Dois imperiais atacaram Kami'en ao mesmo tempo. Will matou os dois, embora antes um deles o tivesse golpeado profundamente com a espada no ombro. *Kami'en precisa dele.* A fada sabia. O goyl de jade. O escudo para o seu amante.

O uniforme de Will estava úmido de sangue goyl e humano, e o rei e ele lutavam juntos, costas com costas, mas estavam cercados por uniformes brancos. Logo a pele de goyl não os ajudaria mais.

Faça alguma coisa, Jacob. Qualquer coisa!

Jacob viu o pelo de Fux entre os bancos, e Valiant, que estava em pé no corredor, em posição protetora diante de uma figura encolhida. Clara. Ele não conseguiu distinguir se ela ainda estava viva. Ao lado deles, um goyl lutava contra quatro imperiais. E Teresa da Austrásia estava sentada atrás das rosas esculpidas na madeira e esperava a morte do inimigo.

Jacob tentava abrir caminho pelos degraus. Donnersmarck ainda estava ao lado da imperatriz. Seus olhos se encontraram. *Eu o adverti*, dizia seu olhar.

Will rechaçou três imperiais de uma vez. O sangue escorria em seu rosto. Sangue pálido de goyl.

Faça alguma coisa, Jacob.

Um imperial tropeçou nele quando ele pegou o lenço, e as folhas do salgueiro caíram no peito de um dos muitos mortos. Goyls e humanos.

De que lado você está, Jacob?

Mas ele não conseguia mais pensar em lados, apenas no irmão. E em Fux. E Clara. Ele conseguiu apanhar as folhas do peito do morto e, em meio ao estrépito da batalha, gritou o nome da fada.

A casca do tronco ainda se soltava de seus braços quando ela surgiu de repente diante dos degraus do altar, e seus longos cabelos estavam entremeados com folhas de salgueiro. Ela ergueu as mãos, e trepadeiras de vidro cresceram ao redor de Will e de seu amante. Elas faziam balas e espadas ricochetearem como se fossem brinquedos. Jacob viu o irmão desfalecer e o rei apanhá-lo nos braços. A Fada Escura, porém, começou a crescer como uma chama na qual o vento soprava, e de seus cabelos saíam enxames de mariposas, milhares de corpos negros, que pousavam na pele dos humanos e dos anões onde quer que eles estivessem.

A imperatriz tentou fugir com seus anões. Mas eles sucumbiram, como seus guardas, ao ataque das mariposas; e finalmente elas encontraram também sua pele.

Pele humana. Fux usava seu pelo, mas onde estava Clara?

Jacob se levantou e pulou por cima dos mortos e dos feridos, cujos gritos e gemidos enchiam a nave da igreja. Ele se precipitou pelos degraus abaixo. Fux estava sobre a figura tombada de Clara e tentava desesperadamente espantar as mariposas. Valiant estava deitado ao lado dela.

A fada ainda flamejava como uma labareda. Jacob apertou mais as folhas de salgueiro entre os dedos e passou por ela cambaleante. Ela se virou para ele como se sentisse a pressão dos dedos dele em sua pele.

— Chame-as de volta! — ele gritou enquanto se ajoelhava entre Clara e Valiant.

O anão ainda se mexia, mas Clara estava pálida como a morte. Branco, vermelho, preto. Jacob espantou as mariposas que haviam pousado em sua pele e soltou as folhas do salgueiro para despir a jaqueta branca do uniforme. Havia bastante sangue nele para fornecer o vermelho, mas onde arranjaria o preto? As mariposas pousaram em seu corpo quando ele pôs a jaqueta em cima de Clara para protegê-la. Com as últimas forças, ele arrancou o lenço negro do pescoço de um morto e envolveu o braço de Clara com ele. Asas e ferrões perfuravam a pele como cacos de vidro. Eles semeavam uma paralisia que tinha gosto de morte. Jacob caiu ao lado do anão e sentiu patas se apoiarem em seu peito.

— Fux! — O som quase não saía de seus lábios. Ela tentava enxotar as mariposas do rosto, mas eram muitas.

— Branco, vermelho, preto — ele balbuciou, mas naturalmente ela não entendia do que ele falava. As folhas... E tateou no chão à procura delas, mas seus dedos eram como chumbo.

— Basta!

Apenas uma palavra, mas ela veio do único que a Fada Escura ainda ouvia em sua fúria. A voz do rei fez as mariposas rodopiarem. Até mesmo o veneno nas veias de Jacob pareceu se dissolver, até que nada restou senão um cansaço de chumbo. A fada tornou-se mulher novamente, e todo o terror desapareceu em sua beleza como uma faca na bainha.

Valiant rolou para o lado com um gemido, mas Clara ainda não se mexia. Ela somente abriu os olhos quando Jacob se debruçou sobre ela. Ele virou o rosto, para que ela não visse o quanto ele estava aliviado. De qualquer forma, o olhar dela buscava apenas seu irmão.

Will estava em pé novamente. Ele estava atrás das trepadeiras de vidro da fada. Assim que o rei se pôs a andar, elas se dissolveram em água, que escorreu pelo piso como que para lavar o sangue dos degraus do altar.

As mariposas pousavam nos corpos dos goyls mortos e feridos, e muitos deles começavam a se mexer novamente, enquanto a fada abraçava o amante e limpava o sangue pálido de seu rosto.

Will ergueu a imperatriz do chão e derrubou um de seus anões que se pôs vacilante em seu caminho. Três outros goyls expulsavam os sobreviventes para fora dos bancos. Jacob começou a procurar as folhas do salgueiro, mas um dos goyls o ergueu e o empurrou junto com Clara para os degraus do altar. Fux disparou atrás deles. Seu pelo ainda era a roupa que mais a protegia. Valiant também ficara de pé, e, numa das últimas fileiras, ergueu-se uma figura delgada. Seda branca respingada de sangue e um rosto de boneca, que apesar do medo ainda parecia uma máscara.

A princesa pisou no corredor central com passos inseguros. O véu estava rasgado. Ela ergueu a barra do vestido para passar por cima do corpo do general que a havia introduzido na igreja e se pôs a andar como uma sonâmbula em direção ao altar, a longa cauda do vestido úmida e pesada de sangue.

O noivo olhou para ela como se refletisse se deveria matá-la com as próprias mãos ou deixar esse prazer para a fada. A fúria dos goyls. Em seu rei, ela era um fogo frio.

— Traga-me um dos sacerdotes deles — ele ordenou a Will. — Ainda deve haver algum com vida.

A imperatriz olhou para ele incrédula. Ela mal conseguia se manter em pé, mas um de seus anões cambaleava ao seu lado e a apoiava.

— Pois então? — perguntou Kami'en e aproximou-se dela, a espada na mão. — Tentastes me matar. Isso altera alguma coisa em nosso trato?

Ele olhou para a princesa, que ainda estava no pé da escada.

— Não — ela respondeu balbuciante no lugar da mãe. — Não altera nada. Mas o preço ainda é a paz.

Sua mãe quis protestar, mas um olhar do rei a fez se calar.

— Paz? — ele repetiu, e olhou para seus homens mortos, que as mariposas não haviam trazido de volta à vida. — Acho que esqueci o significado dessa palavra. Mas farei da sua vida e da vida de sua mãe o meu presente de casamento.

O sacerdote que Will arrastara da sacristia tropeçou nos mortos. O rosto da Fada Escura estava mais claro que o vestido da noiva quando a princesa subiu os degraus do altar. E Kami'en, rei dos goyls, disse o sim para Amália da Austrásia.

51
Traga-o até mim

Quando a noiva saiu da catedral, seu vestido estava coberto de flores. A fada fizera rosas brancas do sangue dos goyls e vermelhas do sangue dos humanos. No uniforme do noivo, as manchas haviam se transformado em rubis e pedras da lua, e a multidão que esperava do lado de fora exultou. Talvez alguns se perguntassem por que tão poucos convidados seguiam o casal. Ou percebessem o medo no rosto deles. Mas o burburinho das ruas havia encoberto os tiros na catedral, os mortos estavam em silêncio, e o rei dos goyls entrou com a noiva humana na carruagem dourada que muito tempo antes também conduzira a tataravó de Amália para suas bodas.

Uma série interminável de carruagens esperava diante da catedral, e a fada parou na escada como uma ameaça, enquanto os goyls sobreviventes formavam alas das quais não havia como escapar. Nem um só imperial entre os que guardavam a multidão compreendeu que as carruagens se enchiam de reféns diante de seus olhos. E que um deles era a sua imperatriz.

Ela cambaleava quando Donnersmarck a ajudou a entrar na carruagem. Ele sobrevivera ao banho de sangue, assim como dois de seus anões. Um deles era Auberon, seu favorito. Ele mal conseguia andar, e seu rosto estava inchado do veneno das mariposas. Jacob sabia perfeitamente como o anão se sentia. Ele próprio ainda estava como que entorpecido. Clara não se sentia melhor, e Valiant tropeçou nos próprios pés quando descia a escada diante da catedral. Jacob carregava Fux no braço, para que os goyls não a enxotassem. Eles eram reféns e decoração humana, escolta camuflada para o amante da fada, cujas tropas estavam a menos de um dia de marcha.

O que você fez, Jacob?

Ele protegera o irmão. E Will estava vivo. Com uma pele de jade, mas vivo, e Jacob somente lamentava uma coisa: ter perdido as folhas do salgueiro e com elas qualquer esperança de proteger a si mesmo e aos outros contra a Fada Escura. Ela olhou para Jacob quando ele entrou com Fux na carruagem depois de Clara. A cólera da fada ainda ardia em sua pele, e ele fizera da imperatriz e, portanto, da metade do Mundo do Espelho seus inimigos. Tudo para salvar o irmão.

Antes de partirem, um goyl subiu na boleia ao lado de cada cocheiro. Depois, quando chegaram a uma das pontes que levavam para fora da cidade, eles os empurraram para fora das carruagens. Os guardas imperiais que escoltavam o casal de noivos tentaram detê-los, mas a Fada Escura soltou suas mariposas, e os goyls conduziram as carruagens pela ponte que um antepassado da noiva mandara construir, e dali entraram numa das ruas da outra margem do rio.

Uma dúzia de carruagens, quarenta soldados. Uma fada que defendia o amante. Uma princesa que se casara no meio de cadáveres. E um rei que havia desposado sua inimiga e fora por ela enganado. Ele se vingaria por isso. Jacob, porém, repetia a si mesmo apenas uma coisa, enquanto Valiant se amaldiçoava por ter achado uma boa ideia assistir às bodas imperiais: *seu irmão está vivo, Jacob. Nada mais importa.*

Nuvens escuras pairavam no céu quando as carruagens atravessaram um portão atrás do qual havia um grande pátio cercado por uma série de edifícios austeros. Todos em Vena conheciam a antiga fábrica de munição — e a evitavam. A fábrica estava abandonada desde que o rio transbordara alguns anos antes, e os prédios haviam se enchido de água e lama fedorenta. Durante a última epidemia de cólera, muitos doentes haviam sido levados até lá para morrer, mas os goyls não precisavam se preocupar com isso. Eram imunes contra a maioria das doenças humanas.

— O que eles pretendem? — perguntou Clara, quando as carruagens pararam entre os muros vermelhos.

— Não sei — respondeu Jacob.

Mas Valiant subiu no banco da carruagem e espreitou o pátio abandonado lá fora.

— Acho que faço uma ideia — ele resmungou.

Will foi o primeiro a descer da carruagem dourada. Depois seguiram o rei e sua noiva, enquanto os goyls arrastavam os reféns para fora das outras carruagens. Um deles empurrou a imperatriz para trás quando ela tentou ficar junto da filha, e Donnersmarck puxou-a para junto de si numa atitude protetora. A Fada Escura, porém, foi até o meio do pátio e olhou para os edifícios vazios. Ela não deixaria o amado cair numa cilada novamente. Cinco mariposas soltaram-se de seu vestido e voaram em direção aos edifícios. Espiões silenciosos. Morte alada.

Os goyls olharam para o seu rei. Quarenta soldados, salvos da morte por um triz, no território dos inimigos. *E agora?*, perguntavam seus rostos. Só com muito esforço, eles escondiam o medo sob sua cólera impotente. Kami'en acenou para que um deles se aproximasse. Ele tinha a cor de alabastro de seus espiões.

— Verifique se o túnel está seguro. — A voz do rei soou tranquila. Caso estivesse com medo, ele escondia melhor que seus soldados.

— Aposto minha árvore de ouro que sei para onde eles querem ir! — sussurrou Valiant enquanto o goyl de alabastro desaparecia entre os edifícios abandonados. — Há alguns anos, um de nossos mais estúpidos ministros mandou construir dois túneis até Vena, porque não acreditava no futuro da ferrovia. Um deles era para abastecer essa fábrica. Há boatos de que os goyls o conectaram com sua fortaleza mais ocidental, e seus espiões costumam utilizá-lo.

Um túnel. *Lá vamos nós outra vez para baixo da terra, Jacob.* Se eles simplesmente não executarem os reféns antes disso.

Os goyls começaram a reunir os reféns, e Jacob abaixou-se para pegar Fux e evitar que ela se perdesse entre tantos pés humanos em pânico, mas uma mão de jaspe marrom pegou-o e arrancou-o brutalmente de junto dos outros. Jaspe e ametista. Nesser. Jacob ainda se lembrava bem de como ela colocara os escorpiões em seu peito. Fux quis segui-lo, mas Clara rapidamente a segurou pelo braço quando a goyl apontou a pistola para ela.

— Hentzau está mais morto que vivo! — ela disse entre os dentes, enquanto arrastava Jacob. — Como você ainda pode estar vivo?

Ela o empurrou pelo pátio passando pelo rei, que estava ao lado da carruagem com Will e conversava com dois oficiais goyls que haviam sobrevivido ao massacre. Não lhes restava muito tempo. Os mortos na catedral já deviam ter sido descobertos.

A Fada Escura estava no pé da escada que descia até o rio. O braço de pedra de um píer avançava na água sobre a qual o esgoto da cidade flutuava como uma pele suja. Mas a fada olhava dentro de si, como se visse os lírios em meio aos quais nascera. *Ela vai matá-lo, Jacob.*

— Deixe-me sozinha com ele, Nesser — ela disse.

A goyl hesitou, mas finalmente lançou um olhar de ódio para Jacob e subiu a escada de volta.

A fada acariciou o braço branco. Jacob viu nele vestígios da casca do salgueiro.

— Você jogou alto e perdeu.

— Meu irmão perdeu — retrucou Jacob.

Ele estava tão cansado. Ela o mataria? Com suas mariposas? Com algum feitiço?

A fada olhou na direção onde estava Will. Ele ainda estava ao lado de Kami'en. Mais do que nunca, os dois pareciam pertencer um ao outro.

— Ele é tudo o que eu esperava — ela disse. — Olhe para ele. Toda a carne de pedra. Semeada apenas para ele.

Ela passou a mão na casca do tronco que ainda havia em seu braço.

— Vou devolvê-lo a você — ela disse. — Com uma condição. Leve--o para longe, muito longe, tão longe que eu não possa encontrá-lo. Pois do contrário eu o matarei.

Jacob não acreditava no que tinha ouvido. Estava sonhando. Era isso. Algum delírio de febre. Provavelmente ainda estava na catedral e as mariposas injetavam veneno sob sua pele.

— Por quê? — Até mesmo essa pergunta foi difícil de pronunciar.

Por que você está perguntando, Jacob? Por que você quer saber se é um sonho? Se for, é um sonho bom. Ela vai lhe devolver seu irmão.

De qualquer forma, ela não respondeu.

— Leve-o até o edifício ao lado do portão — ela disse e virou-se novamente para a água. — Mas se apresse. E tome cuidado com Kami'en. Ele não vai gostar de perder sua sombra.

Jaspe, ônix, pedra da lua. Jacob amaldiçoava sua pele humana enquanto atravessava o pátio de cabeça baixa. Certamente nenhum dos goyls sobreviventes sabia que devia a ele sua salvação, mas naquele momento a maioria deles vigiava os reféns ou estava com os feridos, e Jacob chegou às carruagens sem que ninguém o detivesse.

O rei ainda estava com seus oficiais, mas o goyl de alabastro ainda não voltara. A princesa andou em direção ao marido e falou com ele de forma insistente, até que ele a levou consigo, irritado. Will seguiu o rei com os olhos, mas não foi atrás dele.

Agora, Jacob.

A mão de Will pousou na espada assim que Jacob apareceu entre as carruagens.

Vamos brincar de pegador, Will?

Seu irmão empurrou dois goyls e começou a correr. Suas feridas pareciam quase não incomodá-lo. *Não tão depressa, Jacob. Deixe-o chegar mais perto, como fazia quando vocês ainda eram crianças.* De volta entre as carruagens. Pela frente dos galpões onde haviam trancado os reféns. O próximo edifício ficava ao lado do portão. Jacob empurrou a porta. Um saguão escuro com janelas vedadas. As manchas de luz no chão sujo pareciam leite derramado. No próximo salão, ainda se encontravam os leitos vazios das vítimas da cólera. Jacob escondeu-se atrás da porta aberta. Como antigamente.

Will virou-se bruscamente quando ele fechou a porta atrás de si, e por um instante seu rosto mostrou a mesma surpresa de quando eram crianças e Jacob se escondia atrás de uma árvore no parque. Mas nada em seu olhar indicava que ele o reconhecera. O estranho com o rosto de seu irmão. Mesmo assim, Will pegou a bola de ouro. As mãos tinham sua própria memória. *Pegue, Will!* A bola o engoliu como um sapo a uma mosca, e no pátio o olhar do rei de pedra buscava sua sombra em vão.

Jacob recolheu a bola do chão e sentou numa das camas. Seu próprio rosto olhava para ele do ouro, distorcido como no espelho do pai. Ele não sabia dizer o que o fazia pensar em Clara — talvez fosse o cheiro de hospital que ainda pairava entre as paredes, tão diferente e ao mesmo tempo igual ao do outro mundo —, mas, por um instante, um breve instante, ele se apanhou imaginando simplesmente esquecer a bola de ouro. Ou jogá-la na arca na hospedaria de Chanute.

O que há com você, Jacob? É ainda o efeito da água de cotovias? Ou você está com medo de que seu irmão, mesmo que a fada mantenha a promessa, permaneça para sempre o estranho com o rosto desfigurado pelo ódio por você?

A fada surgiu de repente na porta, como se ele a tivesse evocado com seus pensamentos.

— Ora, veja — ela disse, e olhou para a bola de ouro nas mãos de Jacob. — Conheci a menina que brincou com essa bola, muito antes que você ou o seu irmão tivessem nascido. Ela não só capturou um noivo com ela, mas também sua irmã mais velha, e por dez anos não a deixou sair.

Seu vestido limpou o pó do chão quando ela se aproximou de Jacob.

Ele hesitou, mas finalmente pôs a bola na mão dela.

— Que pena — ela disse, enquanto a trazia para perto dos lábios. — Seu irmão é muito mais bonito com uma pele de jade. — Então ela assoprou sobre a superfície brilhante até que o ouro ficou opaco.

— O que foi? — ela perguntou quando ele olhou para ela desconfiado. — Você confiou na fada errada.

Ela chegou tão perto que ele sentiu seu hálito no rosto.

— Minha irmã lhe contou que o humano que pronunciar meu nome morre? A morte virá lentamente, como cai bem à vingança de uma imortal. Talvez ainda lhe reste um ano, mas você logo começará a sentir. Vou lhe mostrar.

Ela pôs a mão no peito de Jacob, e ele sentiu uma pontada no coração. O sangue vazou pela camisa, e, quando a abriu, ele viu que a mariposa em sua pele havia despertado para a vida. Jacob agarrou o corpo intumescido, mas ela havia fincado suas garras tão profundamente em sua carne que ele teve a sensação de estar arrancando do peito o próprio coração.

— Dizem que muitas vezes os humanos sentem o amor como se fosse a morte — disse a fada. — É verdade?

Ela comprimiu a mariposa no peito de Jacob até que não se via mais nada além da marca em sua pele.

— Deixe seu irmão sair assim que o ouro não estiver mais opaco — ela disse. — Há uma carruagem esperando no portão, para você e para os seus. Mas não se esqueça do que eu lhe disse. Leve-o para o mais longe de mim que puder.

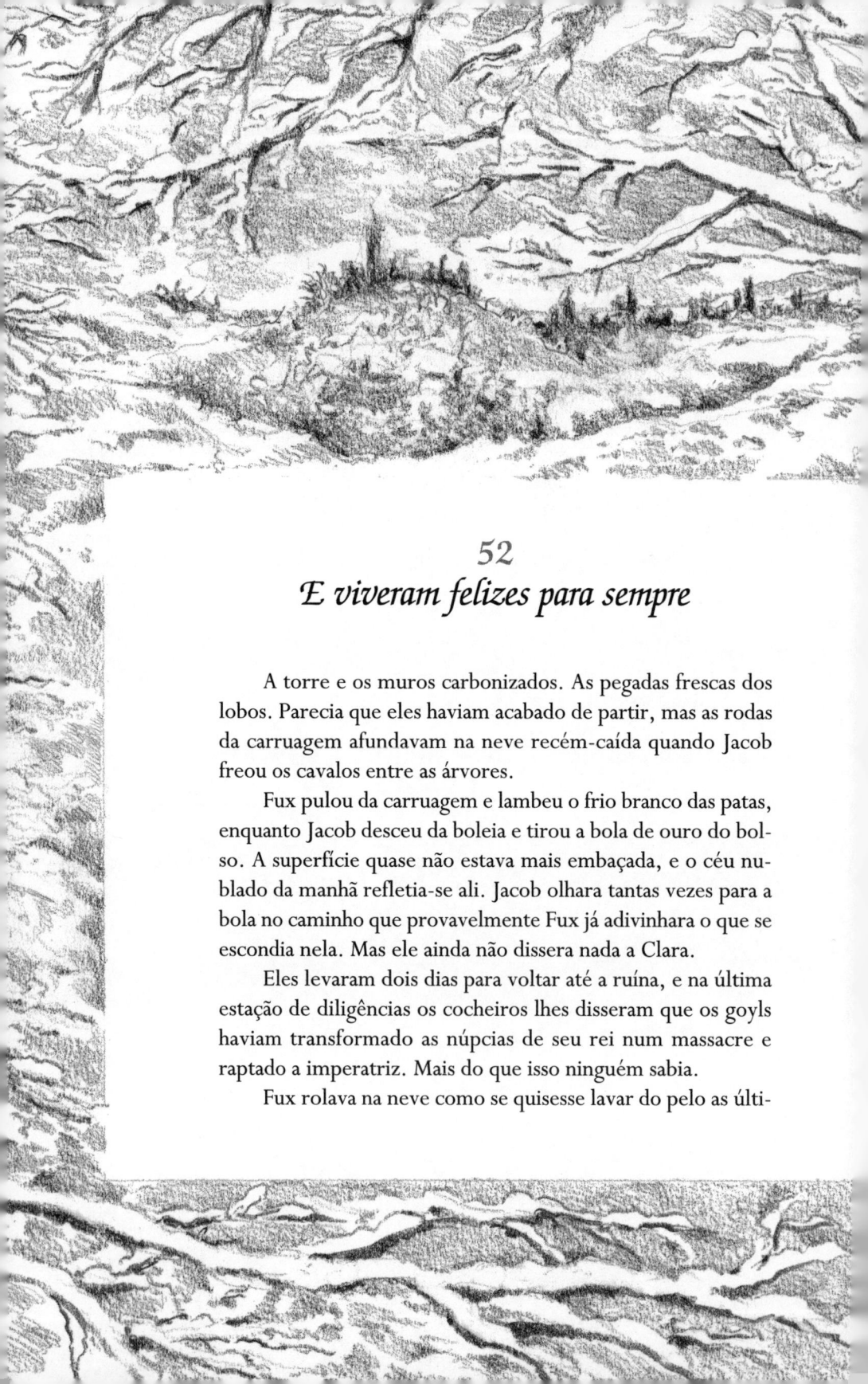

52
E viveram felizes para sempre

A torre e os muros carbonizados. As pegadas frescas dos lobos. Parecia que eles haviam acabado de partir, mas as rodas da carruagem afundavam na neve recém-caída quando Jacob freou os cavalos entre as árvores.

Fux pulou da carruagem e lambeu o frio branco das patas, enquanto Jacob desceu da boleia e tirou a bola de ouro do bolso. A superfície quase não estava mais embaçada, e o céu nublado da manhã refletia-se ali. Jacob olhara tantas vezes para a bola no caminho que provavelmente Fux já adivinhara o que se escondia nela. Mas ele ainda não dissera nada a Clara.

Eles levaram dois dias para voltar até a ruína, e na última estação de diligências os cocheiros lhes disseram que os goyls haviam transformado as núpcias de seu rei num massacre e raptado a imperatriz. Mais do que isso ninguém sabia.

Fux rolava na neve como se quisesse lavar do pelo as últimas semanas, mas Clara ficou parada olhando para a torre no alto. O hálito saía branco de sua boca, e ela tinha calafrios no vestido que Valiant havia lhe comprado para o casamento. A seda azul-clara estava rasgada e suja, mas o rosto dela ainda fazia Jacob pensar em penas úmidas, embora só conseguisse encontrar nele saudades de seu irmão.

— Uma ruína? — Valiant desceu da carruagem e olhou desapontado ao redor. — O que significa isso? — ele vociferou com Jacob. — Onde está a minha árvore?

Um gnomo desprendeu-se da sombra e catou apressado algumas bolotas de carvalho na neve.

— Fux, mostre a árvore para ele.

Valiant saiu tão apressado atrás da raposa que quase tropeçou nas próprias pernas. Clara não olhou para eles.

Parecia ter se passado tanto tempo desde que ele a vira pela primeira vez, entre as colunas.

— Você quer que eu volte, não é? Sem Will. — Ela olhava para ele de um jeito que só ela tinha. — Pode dizer. Nunca mais o verei. Você não pode mudar isso. Sei que tentou tudo.

Jacob pegou a mão de Clara e pôs a bola dentro dela. A superfície estava toda brilhante, e o ouro cintilava como se fosse feito do próprio sol.

Você confiou na fada errada.

— Você precisa poli-la — ele disse. — Até se ver nela tão nitidamente como num espelho.

Então ele a deixou sozinha e passou por entre os muros desmoronados. Will gostaria de ver primeiro o rosto de Clara. *E eles viveram felizes para sempre.* Caso a Fada Escura não o tivesse enganado como fizera sua irmã.

Jacob afastou para o lado a hera que crescia diante da porta da torre, e olhou para as paredes cobertas de fuligem. Ele pensou ver a si mesmo descendo lá de cima pela primeira vez, por uma corda que encontrara no quarto do pai. Onde mais?

A pele sobre seu coração ainda doía, e ele sentiu a marca da mariposa sob a camisa como se tivesse sido feita a ferro. *Você pagou, Jacob, mas o que recebeu em troca?*

Ele ouviu Clara dar um grito suave.

E uma outra voz disse o nome dela.

Fazia tempo que a voz de Will não soava tão doce.

Jacob os ouviu sussurrar. Risos.

Ele apoiou as costas no muro preto de fuligem e úmido do frio que ficava retido entre as pedras.

Fim. A Fada Escura cumprira sua promessa. Jacob soube antes de afastar novamente a hera. Antes de ver Will ao lado de Clara. A pedra se fora, e os olhos de seu irmão eram azuis. Nada além de azuis.

Entre de uma vez, Jacob.

Will soltou as mãos de Clara e olhou para Jacob espantado, quando ele surgiu entre os muros cobertos de neve. Mas não havia raiva no olhar do irmão. Nem ódio. O estranho com pele de jade se fora. Embora Will ainda usasse o uniforme cinzento.

Ele andou até Jacob sem despregar o olhar de seu peito, como se ainda visse ali o sangue do disparo do goyl, e abraçou-o apertado, como fizera pela última vez quando era criança.

— Pensei que estivesse morto. Sabia que não podia ser verdade. Will.

Ele recuou e mediu Jacob novamente, como se precisasse se certificar de que realmente nada lhe faltava.

— Como você conseguiu? — Ele arregaçou a manga do uniforme cinza e passou a mão sobre a pele macia. — Sumiu!

Ele se virou para Clara:

— Eu disse a você. Jacob consegue. Eu nunca sei como. Mas sempre foi assim.

— Eu sei — Clara sorriu. E Jacob viu tudo o que acontecera no olhar que Clara lhe lançou.

Will passou a mão em seu ombro, onde a espada havia cortado o tecido cinza. Ele sabia que as manchas eram do seu sangue? Não. Mas também como? Elas eram claras como sangue de goyl.

Ele tinha o irmão de volta.

— Conte-me tudo — Will segurou a mão de Clara.

— É uma longa história — disse Jacob. E ele jamais a contaria a Will.

Era uma vez um rapaz que saiu pelo mundo para aprender a ter medo.

Por um momento Jacob pensou perceber um vestígio de ouro nos olhos do irmão, mas provavelmente era apenas o sol da manhã refletindo-se em suas pupilas.

"Leve-o para longe, muito longe."

— Olhem só para isso! Estou mais rico que a imperatriz! Ah, que nada! Mais rico que o rei de Álbion! — Cabelos dourados. Ombros dourados. O próprio Jacob quase não reconheceu Valiant quando ele apareceu esbaforido de trás da ruína. O ouro estava grudado nele como o pólen fedorento que a árvore borrifara em cima de Jacob.

O anão passou por Will sem sequer notá-lo.

— Bem, eu confesso! — ele exclamou para Jacob. — Eu tinha certeza que você estava me enganando. Mas por esse pagamento eu o levo de novo até a fortaleza dos goyls agora mesmo! O que você acha? Vai prejudicar a árvore se eu a transplantar?

Fux apareceu atrás do anão. Ela também tinha alguns flocos de ouro no pelo. Mas parou como se tivesse criado raízes quando viu Will.

O que você me diz, Fux? Ele ainda tem cheiro de goyl?

Will pegou da neve uma pequena pepita de ouro que o anão havia sacudido dos cabelos.

Valiant ainda não o notara. Ele não notara absolutamente nada.

— Não. Não, eu vou transplantá-la! — ele exclamou. — Como vou saber? E se vocês sacudirem todo o ouro dos galhos se eu a deixar aqui? Não!

Ele quase caiu em cima de Fux quando disparou novamente, e Will ficou ali limpando a neve da minúscula pepita de ouro em sua mão.

Leve-o para longe, muito longe, tão longe que eu não possa encontrá-lo.

Clara lançou um olhar preocupado para Jacob.

— Venha, Will — ela disse. — Vamos para casa.

Ela segurou sua mão, mas Will acariciou o próprio braço, como se sentisse o jade crescer novamente sob a pele.

Leve-o para longe, Jacob.

— Clara tem razão, Will — ele disse e pegou seu braço. — Venha.

E Will o seguiu, embora olhasse ao redor como se tivesse perdido alguma coisa.

Fux foi atrás deles até a torre, mas parou na porta.

— Eu já volto! — disse Jacob enquanto Clara e Will se despediam dela acariciando seu pelo. — Cuide para que o anão recolha o ouro antes que os corvos cheguem.

Ouro mágico atraía corvos aos bandos, e seu crocitar podia custar o juízo de um homem. Fux assentiu com a cabeça, mas se virou com hesitação, e o olhar preocupado que lançou para trás era dirigido a Clara, e não a Will. Ela ainda não esquecera a água de cotovias. Quando ele esqueceria? *Quando eles se forem, Jacob.*

Ele foi o primeiro a subir pela escada de cordas. Na câmara da torre, entre cascas de carvalho, jazia um gnomo morto. Provavelmente o stilz o matara. Jacob empurrou o pequeno corpo para baixo de algumas folhas antes de ajudar Clara a subir.

O espelho capturou a todos em seu vidro, mas foi Will quem se pôs diante dele e olhou para a sua imagem como para a de um estranho. Clara se pôs ao seu lado e segurou sua mão, mas Jacob recuou até o vidro escuro não mais o encontrar. Will olhou para ele com ar interrogativo.

— Não vem conosco?

Nem tudo estava esquecido. Jacob viu isso no rosto de Will. Mas ele tinha o irmão de volta. Talvez mais do que nunca antes.

— Não — ele disse. — Não poderia deixar Fux sozinha, entende?

Will olhou para ele. O que ele via? Um corredor escuro? Uma espada em sua mão...

— Sabe quando voltará?

Jacob sorriu.

Vá de uma vez, Will.

"Tão longe que eu não possa encontrá-lo."

Mas Will deixou Clara e andou até ele.

— Obrigado, irmão — ele sussurrou enquanto o abraçava.

Então ele se virou, e parou mais uma vez.

— Você o encontrou alguma vez? — ele perguntou.

Jacob pensou sentir como o olhar dourado de Hentzau encontrava o rosto de seu pai no seu.

— Não — ele respondeu. — Não, nunca.

Will assentiu com a cabeça, e Clara segurou sua mão, mas foi para Jacob que ela olhou quando seu irmão pressionou a mão no espelho.

E então eles não estavam mais ali, e Jacob viu apenas a si próprio no vidro ondulado. A si próprio e à lembrança de um outro.

Fux esperava onde ele a havia deixado.

— Qual foi o preço? — ela perguntou, enquanto o seguia em direção à carruagem.

— O preço de quê?

Jacob desatrelou os cavalos. Ele os deixaria para Chanute em troca do cavalo de carga que perdera. E apenas podia esperar que os goyls tratassem bem a égua.

— Qual foi o preço por seu irmão? — Fux mudou de figura.

Ela usava seu vestido novamente. Ficava muito melhor com ele que com todas as roupas que usara na cidade.

— Esqueça. Já está pago.

— Com o quê?

Ela simplesmente o conhecia bem demais.

— Já disse. Já está pago. O que o anão está aprontando?

Fux olhou na direção onde ficavam os estábulos.

— Está recolhendo o ouro. Ele vai precisar de dias. Eu realmente teria gostado que a árvore o tivesse coberto com aquele pólen fedorento.

Ela olhou para o céu. Começava a nevar de novo.

— Deveríamos ir para o sul.

— Talvez.

Jacob pôs a mão sob a camisa e apalpou a marca da mariposa. *Talvez ainda lhe reste um ano.*

E daí? Um ano era um longo tempo e para tudo naquele mundo havia um remédio. Ele apenas precisava encontrá-lo.

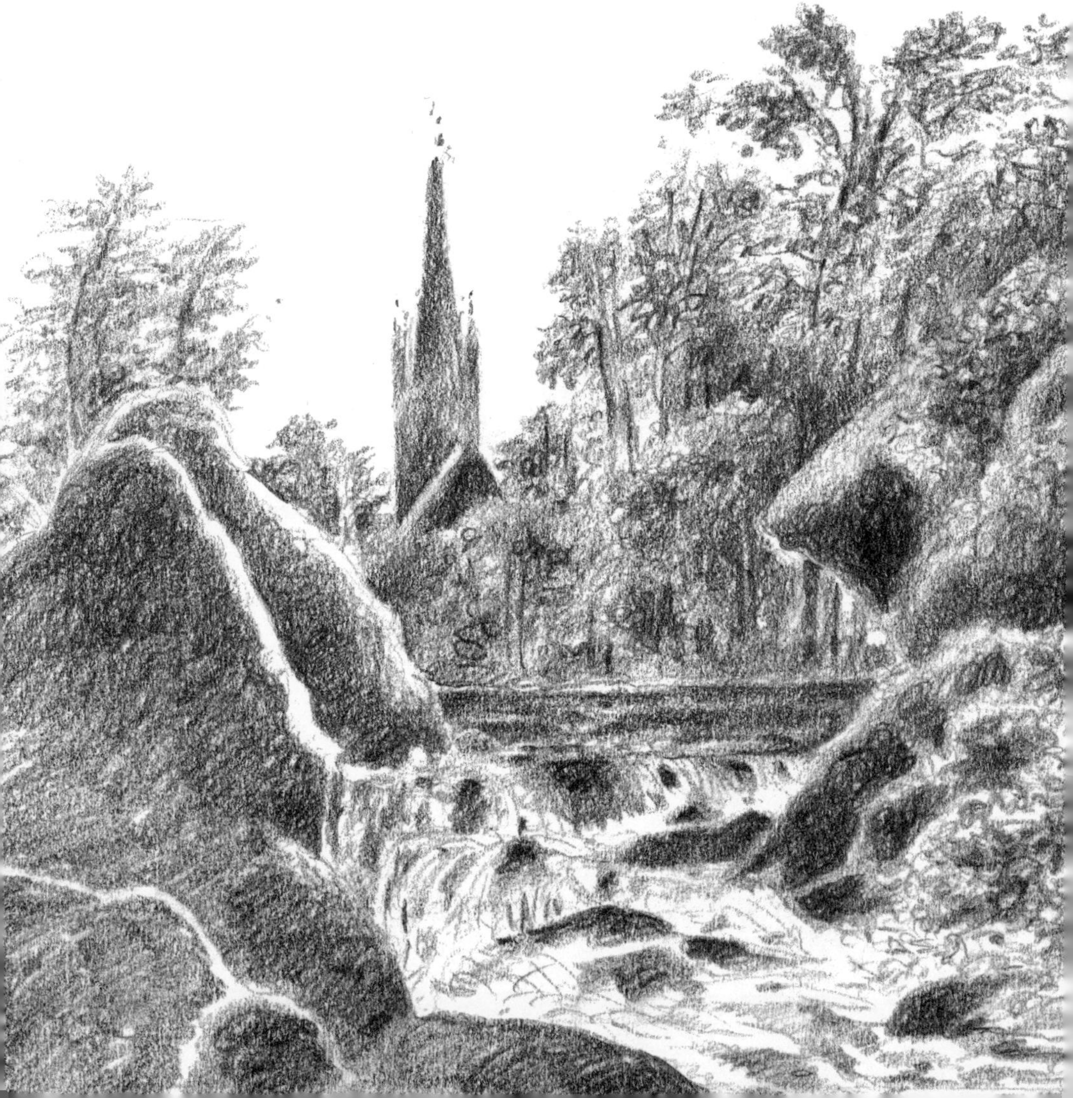

1ª EDIÇÃO [2011] 1 reimpressão

ESTA OBRA FOI COMPOSTA EM PERPÉTUA PELO ESTÚDIO O.L.M./ FLAVIO PERALTA
E IMPRESSA EM OFSETE PELA GEOGRÁFICA SOBRE PAPEL PÓLEN SOFT DA SUZANO
PAPEL E CELULOSE PARA A EDITORA SCHWARCZ EM SETEMBRO DE 2016

A marca FSC é a garantia de que a madeira utilizada na fabricação do papel deste livro provém de florestas que foram gerenciadas de maneira ambientalmente correta, socialmente justa e economicamente viável, além de outras fontes de origem controlada.